im Bau
constructing

im Bau – die Sammlung Leinemann

constructing – the Leinemann Collection

herausgegeben von [edited by] Roland Nachtigäller

KERBER ART

LEINEMANN-STIFTUNG
FÜR BILDUNG UND KUNST

Inhalt
content

vor Ort
on site

vor Ort   [Roland Nachtigäller]

Vom allgemeinen Kunstinteresse über die Begeisterung für einzelne Werke bis zum wohlüberlegten Sammeln bestimmter Motivlinien, einzelner Künstler oder spezieller Ausdrucksformen – das ist in vielen privaten Biografien ein verschlungener und oft auch von Zufällen gesäumter Weg. Wenn man allerdings an einem bestimmten Punkt den Faden aufgenommen hat, dann ergibt sich oft eines aus dem anderen. Man spricht über seine Neuerwerbungen und Interessen, lauscht auf Empfehlungen und die innere Stimme, orientiert sich in Ausstellungen und bei Künstlergesprächen.

Bisweilen wird in Bezug auf private Sammlungen dahingehend geurteilt, ob jemand »mit den Ohren« oder »mit den Augen« sammelt, ob also die Sammlerin oder der Sammler eher danach geht, was ihr und ihm als aktuelle Tendenz, als heiße Newcomer oder auch als »gesicherte Position« zugeraunt wird, oder ob jemand einer Leidenschaft mit Bauchgefühl und Spontaneität folgt. Es ist letztlich das alte Thema von der Spannung zwischen Herz und Verstand. Was aber, wenn sich das – gerade bei einem Ehepaar – gar nicht so einfach unterscheiden lässt? Wenn Emotion und Kalkül, Begeisterung und kluges Abwägen Hand in Hand gehen? Im besten Fall entsteht dann eine Sammlung, die ebenfalls beides vereint, den Überschwang und die Leitlinie, das Prinzip und die Abweichungen. Eva und Ralf Leinemann haben seit 2005 eine private Sammlung zusammengetragen, die sie sehr eng mit ihrem Leben und damit auch mit ihrem Beruf verbinden. Ausgangspunkt war die auch in ihrem Alltag als Rechtsanwälte im Mittelpunkt stehende Baubranche und ein gezieltes Interesse an der Malerei, bis sich der Blick dann zunehmend öffnete und auch abstraktere Bildkonzepte in den Fokus rückten. Gehalten aber hat sich durchgängig ein starkes Interesse an gegenständlichen Darstellungen in Malerei und Skulptur, eine deutliche Distanziertheit zur Medienkunst und zur Fotografie sowie die Lust an »Ausreißern«, die alles auch wieder infrage stellen.

Schon 2008 hatte die Sammlung einen Umfang erreicht, dass die Gründung der Leinemann-Stiftung für Bildung und Kunst in Hamburg erfolgen konnte, deren Vermögensstock von Anfang an nicht nur mit Geld, sondern auch mit namhaften Kunstwerken bestückt wurde. Seitdem umfasst die »Sammlung Leinemann« – wie sie dann mit diesem Buch auch vorgestellt wird – Kunstwerke im Privatbesitz der Leinemanns und (überwiegend) aus dem Bestand der Stiftung.

Yayoi Kusama
Pumpkin (S), 2016
Kunststoff, fiberglasverstärkt,
lackiert [Plastic, fiberglass
reinforced, lacquered]
129 × Ø 125 cm

on site   [Roland Nachtigäller]

The path from a general interest in art via enthusiasm for individual artworks to carefully collecting works dedicated to certain themes, the works of individual artists or special expressive forms is one that meanders through many personal biographies and is often shaped by chance. However, if you have taken up the thread at a certain point then often one thing simply leads to another. People start talking about their new purchases, their interests, listening to to recommendations and their inner voice, seeking orientation in exhibitions and in talks with artists.

At times, private collections get judged in terms of whether a collector has acted "by ear" or "by eye," meaning whether he or she has acted in light of what someone has whispered is the latest rage, is a hot newcomer or a "definite position" or acts out of passion, following his or her gut feeling spontaneously. In the final instance it is that old theme of the balance between heart and mind. So what if, precisely in the case of a married couple, no such clear distinction can be made? If emotion goes hand in hand with reason, enthusiasm with an intelligent evaluation of pros and cons? In the best case, the result is a collection that combines both, exuberance and clear thrust, principles and departures from them.

Since 2005, Eva and Ralf Leinemann have been assembling a private collection that they have tied very closely to their own lives and their shared profession. The starting point was the construction industry, which is also at the center of their everyday lives as lawyers, and a clear interest in painting, until their gaze gradually broadened and more abstract pictorial concepts came into focus. What has persisted is the strong interest in figurative representations in painting and sculpture, a clear reserve toward media art and photography, and pleasure in "the rogues" who cast everything into question.

Wenn man sich die Freiheit bewahrt, der Kunst auch aus dem Bauch heraus Begeisterung entgegenzubringen, dann gerät man schon mal ins Staunen, wenn das Werk schließlich sein Messe- oder Galerie-Umfeld verlassen hat. Kusamas Kürbis war bei Anlieferung doch deutlich größer als erwartet (und angekündigt). Der Weg in den Ausstellungsraum musste erst durch Ausbau eines großen Fensterelements geschaffen werden. Stiftungsvorstand Eva Leinemann nahm es mit Humor: »Ein Diebstahl ist praktisch nicht möglich, denn der *Pumpkin* passt nach Wiedereinbau des Elements nicht mehr durch vorhandene Tür- und Fensteröffnungen. Wir haben ihn sicher.«

If you are able to retain the inner freedom of connecting with art intuitively and enthusiastically, you may yet be amazed at how different a piece of art can seem when experienced outside of a trade-fair or gallery context. When it was delivered, Kusama's pumpkin was considerably larger than expected (and announced). The path to the exhibition space had to first be cleared by removing a large window element. But Chairperson of the Foundation's Board Eva Leinemann saw the funny side of the misunderstanding: "It is essentially impossible to steal the *Pumpkin*, because after we re-fitted the element it no longer fits through the available doors or windows. So it is safe and sound here."

Eva und Ralf Leinemann leben mit der Kunst und sind ständig von ihr umgeben: Während es im privaten Wohnumfeld sehr persönliche Extrakte aus den zusammengetragenen Trouvaillen sind, beeindruckt vor allem die hoch präsente Einbeziehung der Kunst in den Berufs- und Arbeitsalltag. Überall auf den Gängen, in den Büros und Besprechungsräumen von Leinemann Partner Rechtsanwälte in Hamburg, Berlin, Düsseldorf, Köln, Frankfurt am Main und München finden sich Bilder und künstlerische Objekte, die die lebendige und offene Atmosphäre im Haus maßgeblich mitbestimmen. Auch Besucher sind dort zur Besichtigung willkommen (allerdings nach vorheriger Anmeldung).

Für eine erste öffentliche Präsentation der Sammlung in einem Buch stand somit auch die Frage obenan, auf welchen Pfaden man sich idealerweise durch die Vielfalt der vorhandenen Werke und der fördernd begleiteten Künstler bewegen könnte. Und je länger man sich mit den Leinemanns über ihr Kunstverständnis, über ihre Leidenschaften und ihr sammlerisches Vorgehen auch im Rahmen der Stiftung unterhält, desto offensichtlicher wird, wie ernst sie die Künstlerinnen und Künstler nehmen, wie bereitwillig sie ihnen auf ihren oftmals heftig sich windenden Wegen zu folgen vermögen, wie viel Freude sie aber auch an einer motivischen Decodierbarkeit der Werke haben, an den Geschichten und Querverweisen, den ironischen Brechungen und darstellerischen Volten. Insofern lag es schließlich auf der Hand, das Bauthema tatsächlich auch als lockeren Leitfaden für eine Buchpräsentation zu nehmen – vornehmlich allerdings, um dem Leser einen Assoziationsraum für einen nicht chronologischen, nicht alphabetischen Gang durch die Werkauswahl zu bieten, jenseits von Kategorien oder Festlegungen hinsichtlich der Werkgruppierungen.

Eva und Ralf Leinemann erzählen in diesem Buch über ihre Sammlung und ihre Stiftung auch eine Geschichte: die Geschichte ihrer persönlichen Rezeption und Entdeckungen, ihrer Blicke auf ein weites und offenes Feld der bildlichen Darstellung, auf dem sich die Perspektiven, Interpretationen und Analogien auf höchst anregende Weise miteinander verknüpfen, verknoten und wieder entwirren. Dabei geht es weniger um definitive Ordnungen oder feste Zusammenhänge als vielmehr um das Angebot einer Reise durch die Bildwelten, die zweifellos auf einer Vielzahl möglicher Wege durch ein unbegrenzt erscheinendes Reich führen kann. Leitstrahl ist allein die Begeisterung für und die Neugier auf unerwartete künstlerische Erkundungen, die das Denken öffnen und den Blick weiten, die das Begreifen der Welt in Bildern und damit die Interpretation des eigenen Umfelds als etwas Fließendes, Variables, sich stetig neu Konstituierendes verstehen.

By 2008 the collection had already reached a size that prompted the establishment of a foundation, the Leinemann Foundation for Education and Art in Hamburg; the Foundation's assets have consisted from the outset not only of financial resources but also of renowned artworks. Since that time, the "Leinemann Collection" as will also be presented in this book has consisted not only of artworks that are the Leinemanns' private possessions, but first and foremost of the artworks bequeathed to the Foundation. Eva and Ralf Leinemann live with art and are constantly surrounded by it: While in their private home the choice falls on very personal extracts from the overall trouvailles, it is impressive how art is so consciously incorporated into their professional and office lives. Along the corridors, in the offices and meeting rooms of all the law offices of Leinemann Partner Rechtsanwälte in the six major German cities of Berlin, Cologne, Düsseldorf, Frankfurt, Hamburg, and Munich, what we see are images and artistic objects that decidedly help shape the face of the vibrant and open atmosphere in the company.

As regards the collection's first public presentation in a book, one of the first questions was the ideal path to take through the great diversity of existing works and all those artists the couple have supported along the way. And the longer you talk with the Leinemanns about their understanding of art, about their passions and their approach as collectors, and that includes in the framework of the Foundation, the more it becomes apparent how seriously they take the artists, how willingly they follow them down what are often sharply twisting paths, how much pleasure they derive from the fact that the works' themes can be decoded, from the stories and cross-references, the ironic ruptures and representational about-turns. So it at some point became clear that the topic of construction would be taken as a kind of red thread for the book presentation, primarily however in order to offer the reader an associative space for a non-chronological and non-alphabetical approach to the selection of works, one that eschewed categorizing or defining the respective groups of works.

In this book, by talking through the collection and Foundation Eva and Ralf Leinemann tell a story: the story of their personal reception of art, their discoveries, their gaze at a wide and open field of representation in images, where they excitingly interlink perspectives, interpretations and analogies, only to undo these knots again. The focus is less on definitive orders or fixed connections and more on the offer to take a trip through worlds of images that without doubt consists of countless possible paths through a seemingly infinite realm. Guidance is provided solely be the enthusiasm for and open mind toward unexpected artistic explorations that give room for thought and expand our vision, that construe the act of grasping the world in images and the related interpretation of one's own setting as something fluid and variable that is constantly being recreated.

Markus Huemer
Danke, dass du mich kennst und trotzdem liebst, 2012
Öl auf Leinwand [Oil on canvas]
90 × 120 cm

Markus Huemer ist einer jener Künstler, die das Ehepaar Leinemann über viele Jahre hinweg in ihrer Entwicklung begleitet. Als Überraschung zum 50. Geburtstag von Ralf Leinemann überreichte Markus Huemer dieses Porträt im Rahmen der damaligen Geburtstagsparty im ewerk Berlin-Mitte. Es ist wohl das bisher einzige Porträt aus der Hand des Malers.

Markus Huemer is one of those artists whose career the Leinemanns have followed and supported for many years. On the occasion of Ralf Leinemann's 50th birthday party at ewerk in Berlin's Mitte district, Markus Huemer surprised him by gifting him this portrait. It may well be the only portrait the painter has created to date.

1

»Häuser denken« ist daher die Eingangsgruppe von Werken überschrieben, bei denen es auf den ersten Blick tatsächlich ganz wörtlich um das Haus geht. Doch wie bei Dirk Skreber erscheint die Idee des Bauens eher ⟶ **040** zweifelhaft, der Zusammenhalt der einzelnen Bauteile genauso wenig gesichert wie ein stabiler Grund oder die Entscheidung, ob eigentlich errichtet oder zerstört wird. In Thomas Scheibitz' Bild *Ohne Titel (Nr. 128)* ⟶ **042** löst sich der konstruktive Anteil des Hauses noch mehr zugunsten einer spielerischen Ornamentik auf, die zwischen Spiegelung, Abstraktion und Zeichenhaftigkeit das Wohnen selbst als ästhetischen Akt einfängt. Matthew Houlding wiederum treibt den spielerischen Umgang mit der Figur des Hauses in Skulpturen wie *Lone Tree* oder *Climbing on the balcony ...* ⟶ **047 049** noch weiter Richtung Idealisierung und Projektion: Hier treffen Wunschvorstellung von modellhaften Wohnkonstellationen auf ironisierende Detailliebe und symbolische Formen. In den Architekturansichten von Martin ⟶ **044** Borowski findet sich dann – deutlich heruntergekühlt – ein geradezu staunender Blick auf die Phänomenologie der Wohnviertel, der in der Schlichtheit seiner Ansichten stets auf der Suche nach der verborgenen Sensation ist. Dieser Blick auf die Details fokussiert sich bei vielen Künstlerinnen und Künstlern als ein Interesse an den faszinierenden Strukturen bestimmter Perspektiven auf die Alltagswelt, wie sie Sven Drühl oder Frank Nitsche ⟶ **053 052** ins Bild setzen. Das Interesse an Rhythmen, Schwüngen und Lineaturen schiebt sich vor die pure Abbildung. Wenn man allerdings einzelne Details der gebauten Welt isoliert und konkret ausformuliert (wie bei Guillaume Lachapelle, Wolfgang Schlegel oder Bettina Pousttchi), so entgleiten sie ⟶ **058 054 051** paradoxerweise zugleich ins Abstrakte, scheinen symbolisch für einen anderen Blick auf die kaum fassbare Realität zu stehen.

Und so wird das Bild vom Haus zum Denkbild vom Haus und vom Wohnen, dessen einfache Farbflächen und lineare Konstruktionsformen sich von der Vorstellung eines originellen Baukörpers lösen (Jan Ros, Eberhard ⟶ **056 057** Havekost). Wie im *Haus* von Wolfgang Laib ist er dann ganz nach innen ⟶ **055** gekehrte, reine Form. Im Material des Bienenwachses gerinnen Geborgenheit und Wärme zu einer ebenso schlichten wie sinnlich intensiven Skulptur, während die scheinbare Sommeridylle des *Ateliers* von Markus ⟶ **060** Huemer in ihrer malerischen Ausführung zwischen schwarzem Loch und White Cube das spannungsgeladene Drama der künstlerischen Produktion zu thematisieren scheint.

1

"thinking houses" is therefore the title taken for the initial group of works, and at first sight the focus would seem to quite literally be on houses. However, as with Dirk Skreber the idea of building seems a bit dubious, the cohesion of the individual components as uncertain as steady ground or a stable appearance, be it actually erected or destroyed. In Thomas Scheibitz' image *Untitled (no. 128)* the structural part of the house dissolves even further in favor of playful ornaments that by reflection, abstraction and symbol capture the notion of home living in an aesthetic act. Matthew Houlding, in turn, opts for a playful approach to the figure of the house in sculptures such as *Lone Tree* or *Climbing on the balcony ...* that goes one step further in terms of idealization and projection: Here ideal notions of exemplary home constellations come up against an ironizing love of detail and symbolic forms. In the architectural views by Martin Borowski we then encounter, in a clearly cooled-down form, a truly astonished view of the phenomenology of residential districts, which with the straightforward nature of the views is forever on the lookout for hidden sensations. Among many artists, this view of the details takes the form of an interest in the fascinating structure of certain perspectives of the everyday world, as are presented in the images of one Sven Drühl or Frank Nitsche. The interest in rhythms, curves and lines takes precedence over pure figuration. However, if one isolates individual details of the built world and gives them a concrete form (as with Guillaume Lachapelle, Wolfgang Schlegel or Bettina Pousttchi), then paradoxically they somehow become abstract, seem to stand symbolically for a different view of a reality which is hardly tangible.

In this way, the image of the house becomes the mental image of the house and home, whose simple color fields and linear structures stand in contrast to the idea of an original built volume (Jan Ros, Eberhard Havekost). As with Wolfgang Laib's *House* it is a completely introverted, pure shape. In the beeswax comfort and warmth congeal to form a sculpture that is as simple as it is intensely appealing to the senses, while the apparent summer idyll of Markus Huemer's *Atelier* with its painterly realization somewhere between black hole and White Cube seems to highlight that tense drama which is artistic production.

2

Not only children find construction sites so very appealing. It is not just that something gets built here that initially had to be crafted in the imagination and then advanced in marvelous unity, as here many idiosyncratic tools and impressive machines go into action. Moreover, it is one of those places that hinge on a very strong degree of reliability, teamwork and mutual support. The artistic gaze at these places of transition focuses on specific aspects of the "construction sites," as the second set of pictures is titled, tearing them from the triviality of the street world. Here, on closer inspection you will detect an exceptionally fascinating interplay of color, contrasting surfaces, ornamental structures (Jan Muche) and strangely choreographed arrangements (Martin

→ 040

→ 042

→ 047 049

→ 044

→ 053 052

→ 058 054 051

→ 056 057 055

→ 060

→ 068

2

Nicht nur für Kinder besitzt die Baustelle einen ganz besonderen Reiz. Hier entsteht nicht nur etwas, das vorerst von der Fantasie vervollständigt und in glanzvolle Einheit weitergedacht werden muss, sondern hier kommen auch vielerlei eigenwillige Werkzeuge und imposante Maschinen zum Einsatz. Zudem ist sie einer jener Orte, die in äußerst starkem Maße von Verlässlichkeit, Gemeinschaftsarbeit und gegenseitiger Unterstützung geprägt sind. Auch der künstlerische Blick auf diese Areale des Übergangs fokussiert einzelne Aspekte, die die »Baustellen« – wie der zweite Bildblock überschrieben ist – ihrer Belanglosigkeit im Straßenbild entreißen. Hier finden sich bei genauerem Hinsehen höchst faszinierende Farbspiele, kontrastierende Materialoberflächen, ornamentale Strukturen (Jan Muche) oder eigenwillig choreografierte Anordnungen (Martin Borowski), ⟶ 068 066 die gerade auf der Leinwand eine vielgestaltige Übersetzung ins Sujethafte erfahren. So wird das Baugerüst bei Philipp Hennevogl zum un- ⟶ 071 durchdringlichen, geradezu überwältigenden Dschungel rhythmisierter Stahlrohre, in denen der titelgebende Aufzug fast zu verschwinden scheint.

Auch Konrad Klapheck übersetzt das banale Geschehen zwischen Bagger und Lastwagen in eine Szenerie von grundsätzlicher Bedeutung: Unter dem Titel *Im Zeitalter der Gewalt I* kontrastiert die an den Modellbaukas- ⟶ 074 ten erinnernde Spielzeughaftigkeit der Fahrzeuge mit der einschüchternden Massivität der kraftstrotzenden Maschinen. In seinem Bild treibt er die gegenständliche Darstellung des Baustellengeschehens zum unterkühlten Sinnbild für die Ambivalenz des Aufbaus zwischen Zukunftsperspektive und Überwältigung. Auch bei Ralph Flecks *LKW, Rückseite III* ⟶ 077 *(Gegenlicht)* steht das Gewaltige der Baumaschinen im Mittelpunkt, selbst wenn sein Sattelschlepper bereits wieder abzieht. Anders als Klapheck aber nutzt er nicht die eher abstrahierende Vereinfachung von Form und Geste für die Zuspitzung des Ausdrucks, sondern ganz im Gegenteil scheint die pastose Oberfläche in seinem Gemälde geradezu zu vibrieren, ein erregtes Flimmern angesichts geballter Maschinengewalt.

Doch auch das Zarte, Fragile vieler Konstruktionen wird thematisiert (Adam Velíšek), während die Faszination am zahnradgleichen Ineinandergreifen ⟶ 078 von Formen, die an Maschinenteile und ihre Verbindungen erinnern, bei Tony Cragg zu hoch dynamischen, ebenso kompakten wie kraftvollen ⟶ 083 Skulpturen führt. Der vergrößernde Blick auf Materialien und Werkzeuge beschäftigt sich dagegen eher mit dem feinen Spiel aus eleganter Formgebung und industriellem Massenprodukt (Richard Kaplenig). Ein solches ⟶ 084 Pathos der Materialansicht war Nouveau-Réalisme-Künstlern wie Arman noch völlig fremd: Sein ironisches *Fleurs Aquatiques* fügt unzählige ⟶ 080

Borowski), that precisely on canvas undergo a multifarious trans-⟶ **066**
lation into a subject in its own right. Thus, for Philipp Hennevogl ⟶ **071**
the scaffolding becomes an impenetrable, truly overwhelming
jungle of rhythmic steel pipes within which the elevator in the
painting's name almost disappears.
Konrad Klapheck likewise translates the banal action between
dozers and trucks into a scene of fundamental importance: Taking as his title *In the Age of Violence I* the vehicles (they somehow ⟶ **074**
resemble toys from DIY kits) contrast sharply with the intimidat-
ing massiveness of these powerful machines. In his image he
takes the figurative representation of life on a building site site as
a subdued symbol of the ambivalence of construction between
future prospects and overcoming the present. Ralph Fleck's
Truck, Rear view III (against the light) also centers on the violent ⟶ **077**
force of construction machinery, even if the tipper truck is already
driving off. However, unlike Klapheck he does not opt for some
abstract simplification of shapes and gestures to exaggerate the
expression, but on the contrary relies on impasto surfaces that
cause his paintings to truly vibrate, an agitated flickering in the
face of the massive force of machinery.
That said, the tender and fragile side to many constructions is
also highlighted (Adam Velíšek), while the fascination with the ⟶ **078**
cog-like interaction of shapes reminiscent of parts of machines
and their connections lead in the case of Tony Cragg to highly ⟶ **083**
dynamic sculptures, as compact as they are powerful. A view of
the materials and tools that enlarges them all tends to focus by
contrast on the refined interplay of elegant design and industrial
mass product (Richard Kaplenig). Such pathos as regards the ⟶ **084**
materials was, however, completely foreign to Nouveau Réalisme
artists such as Arman: His ironic *Fleurs Aquatiques* binds count- ⟶ **080**
less bricklayer trowels to form an atoll-like bouquet which also
evidences a threatening thrust. Yet again, young French artist
Cäcilia Brown presents the fragment of a reinforced concrete ⟶ **086**
beam as an unpretentious objet trouvé that, part symbol, part
simple material presence, seems to pose an open question about
the aesthetic of building.

3

Construction takes the shape of the personal realization of notions of beauty and significance to the point of pure self-impor-
tance. At the same time, as a rule it takes place in a civilized,
usually urban context. And it repeatedly becomes clear that dis-
ciplines such as planning urban or free spaces can only manage
developments to a limited extent. The parameters and recommendations the planners make are all too often undermined by
changing conditions, economic considerations or opaque parallel
trends. The "city matrix" is thus less a predefined basic grid and
more a visual world that we must at times simply acknowledge
with bafflement. It arises less from prior intentions and more
from the analysis of existing positions.
The veduta, and in art history it tends to describe a painterly view
of a city, has since the 17th century been a tried-and-tested
means of conveying the current status of urban infrastructure

Bettina Pousttchi
Odin, 2015
Straßenpfosten,
pulverbeschichtet
[Bollards, powder-coated]
91 × 34 × 33 cm

Nicht viele Skulpturen schaffen
es in den Leinemann'schen
Privatgarten, aber die sich ein
wenig verschämt am Teich
zusammendrängenden Stra-
ßenpoller mit dem Namen
des nordischen Göttervaters
scheinen wie für den Ort gemacht. Gereizt hat die Sammler
vor allem der Kontrast zwischen der privaten Natur und
der Vermenschlichung eines
banalen, geradezu omniprä-
senten Elements der Straßen-
architektur.

Not many sculptures make
it into the Leinemanns'
private garden, but the bol-
lards named after the father
of the Nordic gods that
huddle somewhat bashfully
around the pond seem as
though they were made for the
place. The contrast between
the private nature and the
humanization of a banal,
almost omnipresent element
of street architecture appealed
to the collectors in particular.

Maurerkellen zu einem atollhaften Bouquet zusammen, das zugleich auch eine bedrohliche Zielgerichtetheit zeigt. Die junge französische Künstlerin Cäcilia Brown wiederum präsentiert das Fragment eines armierten Beton- → 086 trägers als unprätentiöses Objet trouvé, das zwischen Symbolträchtigkeit und schlichter Materialpräsenz eine offene Frage an die Ästhetik des Bauens zu stellen scheint.

3

Das Bauen vollzieht sich einerseits zwar als bis zur Selbstherrlichkeit reichende individuelle Verwirklichung von Schönheits- und Bedeutungsvorstellungen. Andererseits aber findet es in der Regel im zivilisatorischen, zumeist urbanen Kontext statt. Dabei wird immer wieder deutlich, dass Disziplinen wie Stadt- und Freiraumplanung nur teilweise Entwicklungen steuern können. Deren Vorgaben und Empfehlungen werden allzu oft von sich ändernden Bedingungen, ökonomischen Erwägungen oder unübersichtlichen Parallelentwicklungen unterlaufen. Die »Matrix der Stadt« ist daher weniger ein vorformuliertes Grundraster als vielmehr ein bisweilen staunend zur Kenntnis zu nehmendes Erscheinungsbild. Sie offenbart sich nicht so sehr über die vorausgegangenen Absichten, sondern vor allem über die Analyse existierender Setzungen.

Die Vedute – mit der die Kunsthistorie zumeist die malerische Stadtansicht beschreibt – ist seit dem 17. Jahrhundert ein probates Mittel, den Istzustand der urbanen Infrastruktur zu übermitteln und diesen zugleich über die bildliche Darstellung zu untersuchen. Bis heute faszinieren die Skyline, die Straßenschlucht oder das Siedlungsluftbild die Künstler, als optisch flirrendes Spiel von Farben, Licht und Baukörpern, als unerwartete Muster und Ornamente des Alltags oder als Visionen und Gedankenspiele zu möglichen alternativen Siedlungsformen. Philippe Cognée hat mit *Mirage* dafür in mehrerer Hinsicht ein fast programmatisches Bild → 088 geschaffen. Dicht gedrängt stehen die Säulen der einzelnen Baukörper seiner Skyline und spiegeln sich zugleich in einer davor liegenden Wasserfläche. Jeder Farbfleck scheint ein nervöses Eigenleben zu führen und wird zugleich für die Ewigkeit vorbereitet: Mit der Technik der Enkaustik wird das in Wachs gebundene Pigment heiß auf die Leinwand aufgetragen, wird die Idee der Stadt dem Bild für die Nachwelt eingebrannt.

Aus der Flug- oder Satellitenperspektive wiederum präsentiert sich die Stadt in ganz anderem Licht. Hier zieht sich alles zum grandiosen Muster zusammen, wie in den Bildern von Yutaka Sone oder Jan Ros erscheinen → 096 097 die Verkehrswege und Siedlungsformen als Tanz aus Licht und Bewegung. Nicht das individuelle Leben, der Alltag aus Staus und immerwährender Bautätigkeit stehen im Mittelpunkt, sondern der urbane Raum als

and also exploring it by creating an image of it. To this day, artists are fascinated by city skylines, the streets lined with high-rises, views of settlements from the air, as visual games of oscillating colors, lights and volumes, as unexpected patterns and ornaments of everyday life or as visions and mind games on possible alternative forms of living. Philippe Cognée has with *Mirage* cre- ———→ **088** ated an almost programmatic image in many respects. Standing close together, the pillars of the individual buildings of his skyline are reflected in a surface of water in front of them. Each patch of color seems to lead a nervous life of its own and is likewise read-ied for eternity: Cognée uses encaustic, meaning the pig-ment bonded in the wax is heated and applied hot to the canvas, searing the idea of the city into the image for posterity.

Seen from a bird's-eye or satellite perspective the city emerges in a quite different light. Here, everything contracts to form mar-velous patterns, as in the images by Yutaka Sone or Jan Ros, where ———→ **096 097** transportation routes and forms of settlement seem to be a dance of light and movement. Here, the focus is not on indiviual life, on the everyday gridlocks and never-ending construction work, but on urban space as a universal ornament, that can with playful ease be read as a pattern or a playground, as if looking down from on high on a toy railway or a military strategy table (Torben Giehler, Ulrich Knispel). ———→ **098 099**

Needless to say, each city has a magic, a poetry of its own. One can take it along as a yearning on one's travels (Yin Xiuzhen) or place ——→ **101** it in a living room (Eduardo Paolozzi), one can discover in the light ——→ **104** of dusk the tender lightness of its fragile structures (Francis Alÿs) ——→ **102** or discern in every stone below the surface a piece of an artistic mosaic (Jan Muche). Above all, buildings have their own formal ——→ **114** vocabulary and thus each defines not only its individual expression, but also the atmosphere of a district. The city is forever showing us its brutal, repugnant, and latently threatening face—between defiant assertion, as in the *Torres Blancas* in Madrid as depicted by Philipp Hennevogl, and the empty streets of stacked and ——→ **109** assembled facades from the turn of the 20th century in Stefan Hoenerloh's work. It is not surprising that the bridge repeatedly ——→ **110** emerges as a kind of symbolic theme, standing for construction and perspective, ties and overarching feasibility, both in the archi-tectural images of Markus Huemer and in the brilliant watercolor ——→ **120** by Carl Grossberg dating from 1935 (incidentally one of those ——→ **123** unplanned purchases outside of the actually contemporary ori-entation, motivated purely by an admiration of the work and its connection to bridge construction projects of that time). By con-trast, Peter Ruehle's truly gigantic panorama of a city silhouette ——→ **124** seems like zooming, in relief, out of the miasma of the city—which from afar once again seems elegant, vivacious and harmonious.

4

If a society builds, then not only homes and functional edifices arise, but daily life evolves within them. While furniture and other items of interior fit-outs turn the architectural frame into a personal space, the idea of building, or constructing and converting, can just as easily be transposed onto social and political structures.

universelles Ornament, das sich spielend leicht auch als Muster- oder Spiel-
feld sehen lassen kann, ähnlich der Perspektive einer Modelleisenbahn oder
dem Strategietisch der Feldherren (Torben Giehler, Ulrich Knispel). ———→ **098 099**
Aber natürlich wohnt jeder Stadt auch ein Zauber, eine Poesie inne. Man
nimmt sie als Sehnsuchtsort mit auf Reisen (Yin Xiuzhen) oder ins Wohn- ——→ **101**
zimmer (Eduardo Paolozzi), man entdeckt im abendlichen Lichtspiel die ——→ **104**
zarte Leichtigkeit ihrer fragilen Konstruktion (Francis Alÿs) oder findet ——→ **102**
selbst im Untergrund noch in jedem Stein ein Stück kunstvolles Mosaik
(Jan Muche). Vor allem aber besitzen Gebäude ihre eigene Formensprache ———→ **114**
und prägen damit nicht nur ihren individuellen Ausdruck, sondern auch
die Atmosphäre eines Viertels. Zwischen trotziger Selbstbehauptung
beispielsweise der *Torres blancas* in Madrid, wie sie Philipp Hennevogl ——→ **109**
darstellt, und den menschenleeren Schluchten aus aufeinandergetürmten
und zusammenmontierten Gründerzeitfassaden bei Stefan Hoenerloh ——→ **110**
offenbart die Stadt immer wieder auch ihr brutales, abweisendes und
latent bedrohliches Gesicht. So ist es nicht verwunderlich, dass sich die
Brücke als eine Art Symbolmotiv behauptet, das für Aufbau und Perspektive, für Verbundenheit und überragende Machbarkeit steht, sowohl in
den Architekturbildern von Markus Huemer als auch in dem wunderbaren ——→ **120**
Aquarell von Carl Grossberg von 1935 (im Übrigen einer dieser ungeplanten ——→ **123**
Ankäufe abseits der eigentlich zeitgenössischen Orientierung, allein aus
der Begeisterung für das Bild und dessen Verbindung zu seinerzeit aktu-
ellen Brückenprojekten motiviert). Da erscheint das geradezu gigantische
Panorama einer Stadtsilhouette von Peter Ruehle dann wie ein erleich- ——→ **124**
tertes Zurückzoomen aus dem Moloch der Stadt, der sich von ferne wieder
elegant, beschwingt und abgeklärt gibt.

4

Wenn eine Gesellschaft baut, dann entstehen nicht nur Behausungen und
Funktionsgebäude, sondern es konstituiert sich auch das darin tagtäglich
sich abspielende Leben. Während Möbel und andere Dinge der Innenein-
richtung aus dem architektonischen Rahmen einen persönlichen Raum
generieren, lässt sich der Gedanke des Bauens, des Auf- und Umbaus
problemlos auch auf die sozialen und politischen Strukturen übertragen.
Oft gehen sogar Bauformen und gesellschaftliche Konstruktionen Hand
in Hand. Das Bildkapitel »Leben einrichten« beginnt mit einem von den
Leinemanns hochgeschätzten Künstler, Jörg Immendorff, der das Nach-
denken über Deutschland immer wieder anschaulich in Szene gesetzt hat.
Zwischen Bühnenraum und Modelltisch sind seine Bilder voller politischer
Bezüge, Figuren und Symbole, bei denen das Bauen an der Geschichte, am
Staat und seinen Strukturen oft sehr wörtlich genommen wird. *Position* ——→ **129**

Often, the shapes of buildings and social constructs go hand in hand. The chapter on "living interiors" begins with a work by an artist the Leinemanns hold in very high regard, namely Jörg Immendorff, who repeatedly and most vividly presented images pondering on the current state of Germany. Between stage and modeling table his paintings are replete with political references, figures and symbols where building in terms of history, the state and its structures is often taken literally. Adopting a *Position* was ⟶ **129** a matter of principle for him, something we find in a similar vein in the work of A.R. Penck, whose exuberant pictures of symbols move ⟶ **130** between primitivism and graffiti to comment on the world.
Artists such as Sigmar Polke or Francis Alÿs, by contrast, remain far more mysterious in their images. Threaded with a fine sense of irony and lachrymose poetry, they place people in a setting full of social references, where objects and accessories, everyday acts and silent gestures seem almost fateful. A chair is simply not just a simple piece of furniture, but an object "obsessed" with memor- ⟶ **134** ies and experiences, that does not distinguish between providing a place for relaxation, despair, leisure, agony, brooding or company. Furniture is more than function, always part of an ambiance, a fit-out, a set of selected functional items that not only serves us but also conveys taste, a mindset, culture, especially if, as with Martin Borowski, seemingly presented very objectively and soberly. ⟶ **145**
And what about the living "furnishings"? The plants and animals that populate our interiors and outdoors? It takes a moment until one realizes that these elements of human coexistence (even if we a little euphemistically see them as nature and therefore the opposite of human civilization) are part of the self-constructed world. Markus Huemer stages this intelligently and playfully ⟶ **148** when linking plant motifs from the drawings of scientist and artist Maria Sibylla Merian in the title with computer viruses and worms or fusing the raster dots of early Polke paintings to form a group of young birds born already exhibiting the titles' clichéd old ⟶ **151** chestnuts.
Tatjana Doll's container image thus does not just recall another ⟶ **157** omnipresent functional object in a city's fit-out, as the simple portrayal of the closed double door captures the essence of global trade. The container is possibly unparalleled as a symbol of the standard sizes in a global factory village, the economic injustices and ecological absurdities of global trade and production channels. Algerian artist Adel Abdessemed seeks something similar in his world maps, his *Mappemonde*, drawing a picture of the globe ⟶ **156** from used, found materials such as cans, a globe defined by brand transfers, culture imports, garbage exports, and the globalized erasure of difference.

5

Reading the city as a system of signs provides a semiotic perspective on the public space. Any form of coexistence is based not only on a large number of agreements and rules, but also on communicating them. It is this individual act of reaching a consensus, sending and receiving messages and, above all, decoding them, that guarantees community, which in the urban contexts

Pieter Obels
Das Dickicht gedeiht üppig
[*Het Struweel tiert welig*], 2013
Cortenstahl [Corten steel]
180 × 140 × 125 cm

Es fällt wohl nur jemandem mit dem visuellen Gedächtnis eines Bauexperten oder Statikers sofort auf, dass diese Skulptur fast das innere tragende Gerüst von Tony Craggs *Luke* darstellen könnte. Bei Leinemanns stehen beide Skulpturen in einer Sichtachse zwischen Esszimmer und Garten, sodass man von der Veranda aus mit Craggs dynamischem Volumen im Rücken direkt auf Obels' elegante Umzeichnung des Raums blickt.

Possibly only someone with the visual memory of an expert builder or structural engineer would instantly recognize that this sculpture could almost represent the inner, load-bearing framework of Tony Cragg's *Luke*. The Leinemanns had both sculptures placed on a visual axis between dining room and garden, so that when standing on the veranda, with Cragg's dynamic volume behind you, you gaze directly at Obel's elegant tracing of space.

zu beziehen war ihm ein grundsätzliches Anliegen, wie es ähnlich auch
bei A. R. Penck zu finden ist, der mit seinen überbordenden Zeichenbildern ⟶ 130
zwischen Primitivismus und Graffiti die Welt kommentiert.

Künstler wie Sigmar Polke oder Francis Alÿs dagegen bleiben in ihren
Darstellungen wesentlich rätselhafter. Durchzogen von feiner Ironie und
larmoyanter Poesie setzen sie den Menschen in ein Setting vielfältiger
gesellschaftlicher Bezüge, bei denen Gegenstände und Accessoires, All-
tagshandlungen und stumme Gesten fast schicksalhaft erscheinen. Ein
Stuhl ist eben nicht nur ein simples Wohnmöbel, sondern ein von Erin- ⟶ 134
nerungen und Erfahrungen »besessenes« Objekt, das unterschiedslos
dem Ausruhen, der Verzweiflung oder der Entspannung, der Qual, dem
Grübeln wie der Geselligkeit einen Ort bietet. Neben ihrer Funktion aber
sind Möbel immer auch Teil eines Ambientes, einer Einrichtung, eines
Ensembles ausgesuchter Funktionsgegenstände, die über ihre dienende
Rolle hinaus zugleich Geschmack, Lebenshaltung und Kultiviertheit ver-
mitteln sollen, auch und gerade, wenn sie wie bei Martin Borowski extrem ⟶ 145
sachlich und nüchtern ins Bild gesetzt zu sein scheinen.

Und was ist mit den lebenden »Einrichtungsgegenständen«? Den Pflan-
zen und Tieren, die unsere Innen- wie Außenräume bevölkern? Es dauert
einen Moment, bis man sich an den Gedanken gewöhnt hat, dass auch
diese Elemente des menschlichen Zusammenlebens – selbst wenn wir
sie ein wenig euphemistisch als Natur und damit als Gegenpol zur menschlichen Zivilisation sehen wollen – Teil des selbstgebauten Umfeldes sind.
Markus Huemer setzt dies ebenso klug wie unterhaltsam in Szene, wenn ⟶ 148
er Pflanzenmotive aus den Darstellungen der Forscherin und Künstlerin
Maria Sibylla Merian im Titel mit Computerviren und -würmern verbindet
oder aus den Rasterpunkten der frühen Polke-Gemälde eine junge Vogel-
population entstehen lässt, der die titelgebenden klischeehaften Alters- ⟶ 151
weisheiten schon in die Wiege gelegt sind.

Mit Tatjana Dolls Container-Bild ist dann nicht nur ein weiteres allgegen- ⟶ 157
wärtiges Einrichtungs- und Funktionsobjekt der Stadt aufgerufen, sondern
in der schlichten Darstellung der geschlossenen Doppeltür steckt auch
die Essenz des globalen Warenverkehrs. Wie kein anderes Objekt vielleicht
symbolisiert der Container das Standardmaß ebenso wie das Zusammen-
rücken der Produktionsorte, die ökonomischen Ungerechtigkeiten wie die
ökologischen Absurditäten der weltumspannenden Handels- und Produk-
tionswege. Darauf zielen auch die *Mappemonde* genannten Weltkarten ⟶ 156
des algerischen Künstlers Adel Abdessemed, der aus gebrauchten, ge-
fundenen Materialien wie beispielsweise Blechdosen ein Bild des Globus
zeichnet, das von Markentransfers und Kulturimporten, Mülltourismus und
globaler Gleichmacherei gezeichnet ist.

depends primarily on efficiency and smooth functions. It also requires an ability for abstraction, something that makes every-day orientation akin to artistic strategies, above all if the messages are inadvertently ambiguous, go nowhere or corrode over time. Precisely the omnipresence of signs, sign boards, and illuminated ads also fosters a sense of meaninglessness, as the surfeit, the latent communicative overkill by "signs + systems" (as we have called this chapter) can cause the opposite of what was originally intended. In the pieces by Wolfgang Schlegel, for example, well- → **162** known sign constellations are suddenly presented free of mes-sages and refuse to signify something. They thus become empty shapes, meaningless fittings for urban space that focus attention more on what and how we actually communicate. In Eberhard Havekost's painting *Miami* the emphasis is also on the possible → **164** significance of a sign, be it through an actual message, an emo-tion, or a fundamental attitude: The red star hangs strangely in the upper section on a bright blue background and seems, so close to the blacktop, to have dropped from somewhere. So what could it stand for?

If lines and color fields then constantly crop up in new constel-lations, as with Martin Borowski's *Module red window* or Peter → **170** Krauskopf's *No. 53-03*, the decoding may cause panic: Am I → **166** overlooking something that is obvious, do I not know the mean-ing of a sign that I actually should know? The *Portrait* by Imi → **167** Knoebel comes almost as a relief as it quite clearly consists only of wood painted in color which one could simply read as an abstract face—or not, as the case may be. The codes Douglas Coupland uses are, by contrast, clearly legible, albeit more as a question: A small globe called *Optimism* has been covered with candy-colored → **175** paint roughly where the disastrous North Pacific garbage patch is located, one of the five ocean currents and also estimated to be the largest garbage dump in the world. Warning, appeal, or simply glossing over things?

In the images by Vladimír Houdek the eye then gets as good as → **177** lost in the many allusions and associations. Extremely flat shapes, sometimes reminiscent of inlay work or mosaic tesserae, com-bine with curved or twisted strips that give rise to a strong sense of depth. His heavy pictures, overpainted numerous times and in part collaged with paper scraps from magazines, lead us into an indefinite space between two and three dimensions, between the everyday and art history, between notions of Vladimir Tatlin and Frank Stella. In this way he constructs a reference system that eschews temporal or spatial parameters and is nevertheless full of stories and traditions.

6

When speaking of construction one immediately thinks of stones, steel, glass and concrete. Yet not for nothing do we call gardeners who design greenery and outdoor space landscapers, well aware that open nature is itself a construct, not only in our minds, but in practical terms in light of the many interventions to shape it down through the centuries. Only at first sight is the oft-cited "view of nature" the opposite of the dense built world; in fact,

5

Die Stadt als Zeichensystem zu lesen eröffnet eine semiotische Perspektive auf den öffentlichen Raum. Jede Form des Zusammenlebens basiert nicht nur auf einer großen Anzahl von Übereinkünften und Regeln, sondern auch auf deren Kommunikation. Erst diese überindividuelle Verständigung, das Senden und Empfangen von Botschaften sowie vor allem deren Decodierung garantiert ein Gemeinwesen, das in den urbanen Zusammenhängen vor allem auch auf Effektivität und Reibungslosigkeit angewiesen ist. Damit ist zudem eine Abstraktionsleistung verbunden, die die alltägliche Orientierung durchaus in die Nähe künstlerischer Strategien rückt, vor allem dann, wenn Botschaften unfreiwillig missverständlich sind, ins Leere laufen oder aber mit der Zeit korrodieren.

Gerade die Allgegenwart von Hinweisschildern, Schrifttafeln oder Leuchtanzeigen fördert aber auch das Gefühl der Bedeutungslosigkeit, denn das Überangebot, die latente kommunikative Überforderung der »Zeichen + Systeme« – wie diese Werkzusammenstellung betitelt ist – bewirkt unter Umständen das Gegenteil des ursprünglich Intendierten. In den Bildern von Wolfgang Schlegel zum Beispiel erscheinen bekannte Beschilderungskonstellationen plötzlich frei von Botschaften und verweigern eine Mitteilung. → 162 So werden sie zu leeren Formen, sinnlosen Möblierungen des Stadtraums, die die Aufmerksamkeit wieder mehr darauf richten, wie und was wir eigentlich kommunizieren. Auch in Eberhard Havekosts Gemälde *Miami* geht es um die mögliche Aufladung eines Zeichens, sei es mit einer → 164 konkreten Botschaft, einer Emotion oder einer grundsätzlichen Haltung: Der rote Stern hängt rätselhaft im oberen Teil des Bildes auf himmelblauem Grund und erscheint doch, in direkter Nähe zum Straßenpflaster, eher wie gefallen. Wofür mag er noch stehen?

Wenn sich dann Linien und farbige Flächen in immer wieder neuen Konstellationen zusammenfinden wie bei *Modul red window* von Martin → 170 Borowski oder *Nr. 53-03* von Peter Krauskopf wird der Entschlüsselungs- → 166 prozess von leichter Panik begleitet: Sehe ich etwas nicht, was doch offensichtlich ist, kenne ich eine Zeichenbedeutung nicht, von der ich eigentlich wissen müsste? Da wirkt das *Portrait* von Imi Knoebel dann fast schon → 167 erleichternd, denn es besteht ganz offensichtlich nur aus farbig gestrichenen Hölzern, in die man gerne die Abstraktion eines Gesichts hineindeuten kann – oder es auch lässt. Die Codes bei Douglas Coupland sind dagegen deutlich lesbar, wenn auch eher als Frage: Ein kleiner Globus, betitelt mit *Optimism*, ist etwa dort, wo sich der desaströse nordpazifische → 175 Müllstrudel befindet – eine der fünf Meeresströmungen und zugleich die geschätzt größte Abfallansammlung der Welt – mit bonbonbunter Farbe überschüttet. Mahnung, Appell oder Schönfärberei?

people have been changing and constructing the natural world since time immemorial. Markus Huemer has regularly taken our "surroundings," the title of the final chapter, as the implicit theme of his images of nature in the series *I could also have ... painted you* → **188** or seized the occasion to ironically undermine the construct of the authentic painting. Here, the image is what it is, but could at any time be quite different. Peter Krauskopf addresses the → **192** theme of nature less ironically, but with a similar painterly thrust, taking it more as the basis for murmuring constellations of pastel-like color combinations or looming chiaroscuro contrasts.

Maki Na Kamura, by contrast, assembles her painting with a → **199** strange severity and hard edges, rooted as it is in the Asian notion of landscape. Themes such as mountaintops, expanses of water (occasionally with a few souls visible in it), paths, forests, and snowclad slopes abut in powerful colors, and yet blur owing to the seeping watercolors, creating a landscape that is both constructed and idealized and related to the here and now. This macroscopic interest in natural constellations is counterpointed by an almost microscopic view of natural paths and organic or crystalline settings. Brigitte Schwacke's delicate wire sculptures → **202** are reminiscent of neural networks or cell structures and seem to be enlarged versions of a different, invisible world, while Olafur Eliasson translates the complex world of crystals into equally → **201** simple objects that are nevertheless hard to fathom.

By contrast, Olaf Holzapfel composes the "eagle's eye" of culti- → **204** vated countryside in his straw images, creating abstract patterns of light and shadow where often the intrinsic logic of the constellations remains opaque, as with his sculptures *Travelling Ego,* → **205** reminiscent of strips of sky. Finally, in *September* Neo Rauch con- → **206** structs the landscape as an open secret. In the Romantic tradition we see the dusk or dawn sky, framed by two bushes on the rise that is our vantage point, while behind in the plain a factory building brings to mind the old and erroneous contrast between nature and civilization. The artist presents the world as a construction site: between models from art history, space hinging on a vanishing point, philosophical references and painterly joy in the pure interplay of colors and shapes.

"constructing" is not only the title of this first book on the Leinemann Collection, which for all its wealth presents but a selection of the works they have assembled. It also describes a fundamental approach. The world and the life associated with it as a permanent process of change, a collection as an essentially incomplete construct and interpretative path through about 60 artistic views as one of countless ways of appropriating, grasping and exploring the works. All that is important is the realization that each state bears within it the possibility of being different, that art only truly unfolds when it makes ambivalence its principle and the interpreter is but a narrator of a particular moment, and no longer some apodictic exegete.

Jörg Immendorff
Naht, 1986
Bronze, patiniert
[Bronze, patinated]
164 × 106 × 86 cm

Eigentlich ging es bei einem Galeriebesuch 2010 um den Erwerb eines Bildes von Jörg Immendorff, doch dann begeisterten sich die Sammler unverhofft für diese im Fundus entdeckte Skulptur. Versicherungsauflagen ließen allerdings aus der schlichten Aufstellung im Garten eine aufwendige, diebstahlsichere Verankerung werden. Einen weiteren Guss dieses Werks schenkte Immendorffs Galerist Michael Werner später dem Pariser Musée d'Art Moderne.

A visit to a gallery in 2010 was actually supposed to be about acquiring a picture by Jörg Immendorff, but the collectors were unexpectedly taken by this sculpture they came across in the storerooms. Insurance conditions meant that a simple location in the garden morphed into an elaborate, burglary-proof anchoring in the ground. Incidentally, another cast of this work later was donated to Musée d'Art Moderne in Paris by Michael Werner, Immendorff's gallery.

In den Bildern von Vladimír Houdek schließlich verirrt sich das Auge fast ⟶ 177
in den vielfältigen Anklängen und Assoziationen. Extrem flächige, manchmal an Intarsien oder Bodenmosaike erinnernde Formen verbinden sich
mit gebogenen und gedrehten Streifen, die eine stark räumliche Wirkung
entfalten. So führen seine schweren, mehrfach übermalten und zum Teil
mit Papierfragmenten aus Zeitschriften collagierten Bilder in einen un-
bestimmten Raum zwischen Zwei- und Dreidimensionalität, zwischen
Alltag und Kunstgeschichte, zwischen Assoziationen zu Vladimir Tatlin
und Frank Stella. Damit baut er ein Referenzsystem auf, das sich seiner
konkreten zeitlichen und räumlichen Bezüge entledigt und doch voller
Geschichten und Traditionen steckt.

6

Spricht man vom Bauen, führen die Vorstellungen unmittelbar zu Stein,
Stahl, Glas und Beton. Doch nicht umsonst bezeichnen wir an der Gestaltung von Grün- und Freiflächen beteiligte Gärtner als Landschaftsbauer,
getragen von dem Bewusstsein, dass auch der offene Naturraum ein Konstrukt ist, nicht nur gedanklich, sondern auch ganz praktisch über vielerlei
gestalterische Eingriffe durch die Jahrhunderte. Der viel zitierte »Blick
ins Grüne« erscheint nur oberflächlich als Gegenstück zur verdichteten
Bauwelt, tatsächlich ist auch hier der Mensch seit jeher verändernd und
bauend aktiv. Markus Huemer hat das »Umland« – wie das abschließende
Bildkapitel überschrieben ist – in seinen Naturbildern aus der Serie *Ich
hätte dir auch ... malen können* immer wieder implizit zum Thema ge- ⟶ 188
macht bzw. zum Anlass genommen, um das Konstrukt des authentischen
Gemäldes ironisch zu unterwandern: Das Bild ist, wie es ist, könnte aber
jederzeit auch ganz anders sein. Weniger ironisch, dafür aber mit ähnli-
chem malerischem Impetus nähert sich auch Peter Krauskopf der Motivik ⟶ 192
der Natur, die ihm eher einen Anlass als eine Vorlage für raunende Konstellationen von pastelligen Farbflächen oder dräuende Helldunkelkon-
traste ist.

Maki Na Kamura wiederum baut ihre der asiatischen Landschaftsauf- ⟶ 199
fassung entspringenden Gemälde mit eigenwilliger Härte und Kontrast-
schärfe auf. Motive wie Berggipfel, Wasserflächen, (bisweilen von wenigen
Menschen bevölkerte) Wege, Wälder und Schneehänge reiben sich in kräf-
tigen Farbsetzungen aneinander, verschwimmen aber immer wieder auch
in aquarellierter Wässrigkeit und entwerfen einen Landschaftsraum, der
sowohl gebaut, idealisiert wie jetztbezogen erscheint. Dieses makrosko-
pische Interesse für Naturkonstellationen findet seinen Widerpart im fast
mikroskopischen Blick auf gewachsene Wege und organische oder kristal-
line Konstellationen. Die an neurale Netze oder Zellaufbauten erinnernden

delikaten Drahtskulpturen von Brigitte Schwacke scheinen wie Vergröße- ⟶ **202**
rungen aus einer anderen, unsichtbaren Natur, während Olafur Eliasson ⟶ **201**
die komplexe Welt der Kristalle in ebenso einfache wie schwer ergründliche
Objekte überführt.

Olaf Holzapfel dagegen komponiert den »Adlerblick« auf kultivierte Land- ⟶ **204**
schaftsformationen in seinen Strohbildern zu abstrakten Mustern aus
Licht- und Schattenspiel, bei denen oft die innere Logik dieser Konstellationen undurchschaubar bleibt ebenso wie in seinen an Himmelsbahnen
erinnernde Skulpturen *Travelling Ego*. Neo Rauch schließlich konstruiert ⟶ **205**
in *September* die Landschaft als offenes Geheimnis. In romantischer ⟶ **206**
Bildtradition blickt der Betrachter in den Abend- respektive Morgenhimmel,
gerahmt von zwei Büschen auf der Anhöhe, während hinten in der Ebene
ein Fabrikgebäude den ebenso alten wie falschen Widerspruch zwischen
Natur und Zivilisation in Erinnerung ruft. So präsentiert der Künstler die
Welt als Bauland: zwischen kunsthistorischen Vorbildern, perspektivischen
Raumkonstruktionen, philosophischen Referenzen und malerischer Lust
am reinen Spiel der Farben und Formen.

»im Bau« lautet nicht nur der Titel dieses ersten Buchs zur Sammlung
Leinemann, das trotz aller Fülle nur einen Teil der zusammengetragenen
Werke präsentiert, sondern er beschreibt auch eine grundsätzliche Haltung: Die Welt und das mit ihr verbundene Leben als permanenter Prozess
der Veränderung, eine Sammlung als grundsätzlich unabgeschlossenes
Konstrukt und ein interpretatorischer Parcours durch rund 60 künstlerische Ansätze als eine von unzähligen Möglichkeiten der Aneignung, des
Verständnisses oder der Befragung. Wichtig allein bleibt das Bewusstsein,
dass jedes Sosein das Anderssein bereits in sich trägt, dass die Kunst erst
dann zu ihrer wahren Entfaltung gelangt, wenn sie die Mehrdeutigkeit zum
Prinzip macht und der Interpret nur der Erzähler des Augenblicks ist – und
nicht mehr der apodiktische Exeget.

zwei Sammler two collectors

zwei Sammler [Friedrich von Borries]

Ralf und Eva-Dorothee Leinemann. Ein Sammlerpaar. Wir kennen uns schon ein paar Jahre, mit ihrer Stiftung unterstützen sie die Hochschule, an der ich unterrichte, vor allem den Designpreis, der regelmäßig vergeben wird. Ich möchte herausfinden, wie die beiden zur Kunst gekommen und wie sie zu Sammlern geworden sind, was sie dabei bewegt und antreibt. Beide sind Rechtsanwälte, aber ansonsten auf den ersten Blick sehr unterschiedlich. Ralf Leinemann spricht mit tiefer Stimme, selbstbewusst entspannt, aber auch bestimmt. Er trägt einen blauen Anzug, dazu ein helles Hemd und eine gestreifte Krawatte. Eva-Dorothee Leinemann spricht zurückhaltender, vorsichtig nach den richtigen Antworten suchend. Sie trägt keinen Business-Dress, sondern eine beige Stoffhose und eine weich fallende, weiße Bluse.
Das Gespräch findet in der Bibliothek der Kanzlei in Berlin statt.

Friedrich von Borries: Was war das erste Kunstwerk, das Sie gekauft haben?
RL Ralf Leinemann: Das war vor 25 Jahren, schätze ich. Die Frau eines Kollegen von mir hatte eine starke Neigung zur Kunst und so kam es, dass irgendwann ein Jennifer-Kiernan-Werk in unserem damaligen Büro in ⟶ 031 Düsseldorf auftauchte. Es war eine Holzarbeit, ich fand sie gut, und dann hieß es: »Ja, das kann man auch kaufen.« Dann ist erst einmal ein paar Jahre lang nichts weiter passiert, außer einigen Gelegenheitsankäufen, die eigentlich mehr dekorative Zwecke hatten.
EL Eva Leinemann: Jörg Immendorff, *BRRD Bein IV* von 1978. Das war ⟶ 035 mein erstes Kunstwerk.

Sie sind also gleich ganz oben eingestiegen?
EL Na ja, das war eine ganz kleine Papierarbeit, die für meine Verhältnisse allerdings viel gekostet hat. Die habe ich mir damals, im Jahr 2004, richtig erspart. Aber es sollte halt unbedingt ein Immendorff sein.

Und warum wollten Sie unbedingt einen Immendorff?
EL Ich habe mich für ihn interessiert, weil er sich mit dem Ost-West-Thema beschäftigt hat. Ich bin ja Ossi und zu der Zeit - es muss 2004 gewesen sein - war ich, seit drei Jahren Rechtsanwältin, schließlich dann richtig »im Westen angekommen«. Erst im Sommer 2001 fand mein Umzug von Halle an der Saale nach Berlin statt, zeitgleich mit dem Einstieg in den Anwaltsberuf.

two collectors   [Friedrich von Borries]

Eva und [and] Ralf Leinemann

Ralf and Eva-Dorothee Leinemann. A couple, collectors. We've known each other for a few years; their Foundation supports the university where I teach, above all the design prize that is regularly awarded. I want to find out how the two came to be so committed to art and how they became collectors, what drives them and what encourages them.

Both of them are lawyers, but otherwise at first sight seem to be pretty unlike each other. Ralf Leinemann speaks with a deep voice, confidently relaxed but very resolute. He's wearing a blue suit, a bright shirt, and a striped tie. Eva-Dorothee Leinemann is more restrained when speaking, searching carefully for the right answers. She's not dressed in business attire, but is wearing beige cotton pants and a soft white blouse.

The conversation took place in the couple's law office in Berlin.

Friedrich von Borries: What was the first piece of art you bought?
RL Ralf Leinemann: That was about 25 years ago, I guess. The wife of one of my colleagues was very interested in art and so it happened that at some point a Jennifer Kiernan piece popped → **031** up in our office, which back then was in Düsseldorf. It was a wooden sculpture and I liked it, and then I heard, "Sure, it's for sale." A few years then lapsed without much happening, except a few occasional acquisitions that did nothing much more than serve decorative purposes.
EL Eva Leinemann: Jörg Immendorff, *BRRD Bein IV* made in 1978. → **035** That was my first piece of art.

So your entry level was actually pretty much at the top?
EL Well, I don't know, it was a small piece on paper that admittedly cost me a lot of money. I seriously saved up to buy it back then, in 2004. But it definitely had to be an Immendorff.

And why was your heart set on an Immendorff?
EL I was interested in him because he addressed the East/West issue. I come from east Germany and back around 2004 I had been a qualified lawyer for about three years and had just really found my feet in the west. Come to think of it, I didn't move from Halle to Berlin until the summer of 2001, the same time I started to work as a lawyer.

Did you have artistic ambitions yourself at some point? Paint or play an instrument?
EL I am definitely not musical. And I have no drawing talent. I liked art class, but I was more interested in the interpretations.
RL I played music, was in a band. That was my thing. The visual arts, they weren't.

Haben Sie früher selber künstlerische Ambitionen gehabt? Gemalt oder ein Instrument gespielt?

EL Ich bin überhaupt nicht musikalisch. Ich habe auch kein Zeichentalent. Ich habe den Kunstunterricht gerne gemocht, aber mir lagen eher die Interpretationen.

RL Ich habe Musik gemacht und in einer Band gespielt. Das war mein Ding. Gestaltende Kunst war nicht meins.

Eine spannende Frage ist ja, wie Menschen zur Kunst kommen. Oft spielen die Eltern eine wichtige Rolle. Es gibt Sammler, die übernehmen die Sammlung ihrer Eltern und setzen sie mit neuen Akzenten fort, für andere ist die Beschäftigung mit Kunst eine bewusste Abgrenzung zum sozialen Milieu, aus dem sie stammen. Wie würden Sie Ihren Zugang zur Kunst beschreiben? Ist Ihnen die Freude an Bildern schon in der Kindheit nahegebracht worden?

RL Sowohl mein Opa als auch mein Vater hatten zu Beginn ihres Ruhestands eine Phase, in der sie sich eine Staffelei und Ölfarben kauften, um zu malen. Mein Opa war Postkartenmaler, er hat Motive wie die Dalmatinische Küste gemalt. Er war nebenher Reiseleiter, da hat sich das angeboten. Meinem Vater war das zu profan. Er hat Impressionisten nachgemalt. Ein bisschen freier als eine bloße Kopie, aber recht gelungen und gut erkennbar. Bei beiden war das aber nur eine Phase, es dauerte ein paar Jahre und hörte auch wieder auf. Für einen etablierten Kunstbetrieb wäre dies nicht relevant, schließlich handelte es sich um Kopien. Aber mich hat das durchaus beeinflusst, es wurden ja auch Kataloge von Ausstellungen erworben und überlegt, was als Nächstes gemalt wird. Kunst spielte schon eine Rolle, aber es wurde nie ein Original erworben. Nur bei den Großeltern mütterlicherseits, da hing ein ganz alter Schinken über dem Kamin, ein ziemlich verrußtes Ölgemälde. Erst als ich es später habe restaurieren lassen, konnte man erkennen, was darauf war: ein Gemälde, Öl auf Holz, von Honoré Daumier. Als Kind hab ich das als düsteres Bild von einem ———→ 033 Mann mit Glupschaugen wahrgenommen. Die künstlerische Umgebung, in der ich zu Hause aufgewachsen bin, war zwar selbstgeschaffen, aber eben nachgemalt.

EL Ich kann mich an keine Bilder zu Hause erinnern. Bei mir wäre es also eher ein Zeichen der Eröffnung neuer Horizonte in der neuen, bürgerlichen Gesellschaft des wiedervereinigten Deutschlands, dass ich mich jetzt auch für Kunst interessiere. Als ich 2005 meine Promotion abgeschlossen hatte, wollte ich noch etwas neben dem Beruf machen. Wir haben uns damals – ohne nennenswerte Hobbys – praktisch nur in unserem Beruf

It's interesting to find out how people come to art. Often parents play a key role. There are collectors who take on their parents' collection and continue the collecting work, albeit setting different emphases; for others, a focus on art is a conscious way to distinguish themselves from the social milieu to which they belong. How would you say you got into art? Did you find the joy in images while still children?

RL Both my granddad and my father started painting when they retired. They bought an easel and oil paints and sat down and painted. My granddad painted postcards, with themes from the Dalmatian coast. He was also a travel guide, so it made sense. My dad found that too profane. He copied Impressionist paintings. Well, a bit more freely than simple copies, and pretty good they were, clearly discernible. But for both of them it was a passing phase. It lasted only a few years, and then they stopped. And none of this was to do with the serious business of art, as they were only churning out copies. But it definitely influenced me, as my father bought catalogs of exhibitions, and I wondered what he would paint next. Art definitely played a role, but they never acquired any originals. My grandparents on my mother's side had a really old painting hanging over the hearth, an oil painting pretty much sooted over. Only when I had it restored later on could you even see what was on it: a painting, oil on wood, by Honoré Daumier. As a child I saw only a somber image of a man with ⟶ **033** bulging eyes. The artistic environment in which I grew up at home was self-made, albeit in the form of copies.

EL I can't recollect any pictures at home. For me, becoming interested in art was more a sign of broadening my horizons into a new, middle-class world in a reunited Germany. When I completed my doctorate in 2005, I wanted to do something alongside my career. Back then, we more or less lived a life that hinged on the office, with no real hobbies worth mentioning. I then joined the Association of Friends of the Nationalgalerie in Berlin. The countless events I attended (taking my husband along as the "accompanying person") gradually familiarized me with the art scene in Berlin.

RL Our office is on Friedrichstrasse in Berlin's Mitte district, and from there we went to events at Hamburger Bahnhof and the Nationalgalerie or wherever else something was happening, usually once or twice a month. And we got to know some artists, other people interested in art, and collectors, and then a couple of gallery owners, and one thing led to another.

What you just described could also be termed "interest in art." But collecting also includes wanting to own and being able to buy art.

RL At the beginning we didn't see ourselves as collectors, and simply bought something now and again and hung it up. So when does a collection start being a collection? Simply owning 10 or 20 artworks doesn't necessarily make you a collector.

EL I don't know whether the term collector has something to do with the number of artworks. Gallery owner Michael Werner once told us: "The real collector wants to own a good piece irrespective

Jennifer Kiernan
Mask, 1996
Acryl auf Sperrholz
[Acrylic on plywood]
169 × 70 cm

Als diese verspielte Maske plötzlich durch die Ehefrau eines Kollegen in der früheren Düsseldorfer Kanzlei von Ralf Leinemann aufgehängt wurde, stand zum ersten Mal die Frage im Raum, ob man Kunst auch kaufen und damit besitzen will. Wie so häufig in Sammlerbiografien haben sich die Interessen mittlerweile deutlich verlagert, doch der erste eigene Ankauf bleibt bis heute ein biografisch besonderes Werk.

When the wife of a colleague suddenly hung this playful mask in Ralf Leinemann's former law office in Düsseldorf, the question as to whether the couple also wanted to buy—and thereafter own—art arose for the first time. As is so often the case in collectors' biographies, the focus of interests has since shifted considerably, but the first acquisition remains an important biographical piece.

bewegt. Ich bin dann dem Verein der Freunde der Nationalgalerie in Berlin beigetreten. Dessen zahlreiche Veranstaltungen haben mich – und meinen Mann als »Begleitperson« – über die Jahre mit der Berliner Kunstszene vertraut gemacht.

RL Wir haben unser Büro in der Friedrichstraße in Berlin-Mitte, und von dort sind wir zu Veranstaltungen im Hamburger Bahnhof und in der Nationalgalerie gegangen oder wo sonst etwas los war, bestimmt ein-, zweimal im Monat. Da lernt man ein paar Künstler kennen, andere Kunstfreunde und Sammler, dann noch ein paar Galeristen, und so kommt dann halt eins zum anderen.

Was Sie gerade beschrieben haben, kann man auch als »kunstinteressiert« bezeichnen. Zum Sammeln gehört dann aber noch das Besitzen-Wollen und Kaufen-Können dazu.

RL Wir haben uns am Anfang nicht als Sammler gefühlt, sondern haben einfach mal hier und da was gekauft und uns das aufgehängt. Wann fängt eine Sammlung an? Wenn man zehn, zwanzig Kunstwerke hat, ist man ja noch kein Sammler.

EL Ich weiß nicht, ob man den Begriff Sammler an der Anzahl der Kunstwerke festmachen muss. Der Galerist Michael Werner hat uns mal gesagt: »Der richtige Sammler, der will ein gutes Werk dann auch haben, egal für welchen Preis.« So waren wir noch nie unterwegs. Sammeln definiert sich im Sprachgebrauch als »vom Wegesrand etwas aufsammeln«. Das machen wir auch nicht. Für mich heißt sammeln, dass man etwas wirklich Seltenes sammelt und zusammenfügt. Ich bin mir deshalb nicht sicher, ob wir die Schwelle zwischen »Kunst kaufen« und »Kunst sammeln« wirklich schon überschritten haben. Das Zusammenfügen dauert noch an.

RL Ich wäre hier nicht so zurückhaltend. Natürlich sind wir Sammler und wir haben eine Sammlung. Aus meiner Sicht ist das durch die Zahl der Stücke kaum zu vermeiden – wir haben mittlerweile gut und gerne 300 Werke zusammengetragen. Aber was eine Sammlung eben auch ausmacht, ist eine inhaltliche Linie. Wir haben mit zunehmender Zahl der Stücke unseren Fokus eingeengt und halten uns mehr an Arbeiten, die mit Bauen, Konstruieren und Architektur verbunden sind. Für uns als Anwälte mit einer größeren Kanzlei, die viel mit diesen Themen zu tun hat, gibt es da einen direkten täglichen Bezug. Wir sammeln also zum Beispiel keine Porträts. Auch von den Medien her sind wir eingegrenzt, wir sammeln eigentlich nichts, wo Strom durchfließt, also kein Video, keine Licht- oder Toninstallation, aber auch keine Fotografie. Ein großer Teil unserer Sammlung hängt in den verschiedenen Büros unserer Sozietät, die wir in

of what it costs." That was never our thing. In the vernacular, collecting is "gathering something up that lies at the side of the road." And that is not our thing, either. For me, collecting means that you collect something really rare and bring it together with other similar items. I'm therefore not sure whether we have actually ever crossed the threshold between "buying art" and "collecting art." We're still busy bringing things together.

RL That's a bit understated. Of course we are collectors and own a collection. From my viewpoint that can hardly be avoided given the number of works we own, as there are now well over 300 pieces we have brought together. A collection is also defined by an approach. As the number of works rose, so we narrowed our focus and now go for works that relate to building, construction and architecture. For us as lawyers with a large office that has a lot to do with these themes there is a direct link to our daily lives. We do not, for instance, collect portraits. And we have limited the media we collect to ones that do not involve electricity, so no videos, no light or sound installations, and also no photographs. A large part of our collection hangs in our firm's various branch offices, in Hamburg, Düsseldorf, Cologne, Munich, Frankfurt and Berlin. There, the audience is not only the staff members, but also the clients, and they often come from fields such as planning, construction or the property market. That said, in our collection you will find things that do not fit into the genre of "building, construction, architecture." Of course we wanted the freedom to say: "I'm simply going to buy something because I like it"—such as an Immendorff.

You don't just acquire works for yourselves, but also for the Leinemann Stiftung für Bildung und Kunst. Is there a big difference?

RL Well, it slightly changes your view of the art. But I only realized that after we had established the Foundation. Art that I buy for myself belongs to me. If I acquire something for the Foundation, and OK maybe you have to be a lawyer to see it in this abstract way, then it extends beyond your own life. There's a touch of eternity about any foundation. The artworks that belong to the Foundation form an ensemble that can be infinitely expanded, but do not belong to us and therefore cannot form part of a family inheritance.

The Foundation is not just an art collection, but supports art, too.

EL It is probably hard for young people to win over their parents to the fact that they want to study art and stick with it, instead of pursing an ostensibly "real" career. In such a situation it's good to be able to present a minor success in art. Which is why our Foundation supports above all young artists, giving them courage to do their thing. Not to forget that they then get some publicity, often for the first time.

I have one more question.

RL Well, I think we shouldn't just be talking about ourselves, but about some artists, too.

Okay. Which two artists do you feel are the most important ones in your collection?

Honoré Daumier
Ohne Titel (Juristen) [Untitled (Lawyers)], undatiert, 19. Jahrh. [undated, 19th century]
Öl auf Holz [Oil on wood]
8 × 12 cm, Rahmen [frame]
32,5 × 36,5 cm

Wesentlich dunkler als heute, verschmutzt und von der Zeit patiniert hing dieses kleine Gemälde von Daumier am Kachelofen von Ralf Leinemanns Großeltern, wohin es weniger die Kunstleidenschaft als die Wirrnisse der Zeit gespült hatten. So blieben dem Enkel vor allem die etwas beängstigende Bildatmosphäre und die glühenden Augen in Erinnerung, bevor er dann viel später dieses Erbstück restaurieren ließ und seinen farblichen Reichtum entdeckte. Und das Sujet: Daumier malt Juristen!

This small painting by Daumier used to hang on the tiled stove in Ralf Leinemann's grandparents' home; albeit much darker than it is now, dirty and having acquired quite a patina over time. Admittedly, it probably witnessed less passion for art and more of the confusions of the times. The grandchild thus remembered first and foremost the painting's somewhat scary atmosphere and the glowing eyes, before having the heirloom restored much later on and discovering its wealth of color. And the subject of the piece: Daumier painted lawyers!

Hamburg, Düsseldorf, Köln, München, Frankfurt am Main und Berlin haben. Dort sind das Publikum nicht nur die Mitarbeiterinnen und Mitarbeiter, sondern auch die Mandanten, und die kommen oft aus dem Bereich, wo geplant, gebaut und mit Immobilien gearbeitet wird. Aber Sie werden in unserer Sammlung auch einiges finden, was nicht in die Kategorie »Bauen, Konstruieren, Architektur« reinpasst. Man möchte natürlich auch die Freiheit haben, zu sagen: »Ich kaufe auch einfach mal was, weil ich es gut finde.« – wie zum Beispiel einen Immendorff.

Sie kaufen aber nicht alles für sich, sondern auch für die »Leinemann-Stiftung für Bildung und Kunst«. Macht das einen Unterschied aus?
RL Der Blick auf die Kunstwerke verändert sich etwas. Aber dieses Gefühl habe ich erst kennengelernt, nachdem wir die Stiftung gegründet haben. Kunst, die ich für mich kaufe, gehört mir. Wenn ich etwas für die Stiftung kaufe – da muss man vielleicht auch Jurist sein, um das in dieser Weise zu abstrahieren –, dann geht es über das eigene Leben hinaus. Man spricht ja auch von dem Ewigkeitsgedanken einer Stiftung. Die Kunstwerke, die in der Stiftung sind, bilden ein Ensemble, das sich unendlich weiter aufbauen kann, das einem aber nicht selbst gehört und zum Beispiel auch nicht als Erbe in der Familie bleibt.

Die Stiftung ist aber nicht nur Kunstsammlung, sondern hat auch einen Förderaspekt.
EL Wahrscheinlich ist es für junge Leute schwierig, gegenüber den Eltern durchzusetzen, dass man Kunst studiert und dann auch noch dabeibleibt, anstatt sich einen vermeintlich »ordentlichen« Beruf zu suchen. Da ist es gut, wenn man auch mal einen kleinen Erfolg in der Kunst präsentieren kann. Deshalb fördert unsere Stiftung vor allem junge Künstler, um ihnen Mut zu machen. Außerdem sollen sie natürlich auch – oft zum ersten Mal – öffentliche Aufmerksamkeit bekommen.

Ich habe nur noch eine Frage.
RL Ich glaube, wir sollten nicht nur über uns, sondern auch über ein paar Künstler sprechen.

Okay. Welche beiden Künstler sind für Sie die wichtigsten in Ihrer Sammlung.
EL Für mich ist Francis Alÿs einer der wichtigsten Künstler in unserer Sammlung. Wir kennen ihn nicht persönlich, aber er weckt mein Interesse. Ich finde es spannend, dass hinter seinen Bildern komplexe Fragestellungen stecken. Er greift immer wieder politische Themen wie zum Beispiel den Krieg in Afghanistan auf. Seine Arbeiten sind eher selten, er scheint

EL For me, Francis Alÿs is one of the most important artists in our collection. We don't know him personally, but he sparks my interest. I find it exciting that there are complex issues lurking behind his images. He is forever addressing political topics, such as the war in Afghanistan. His works are few and far between; he doesn't seem to produce much and makes all sorts of videos, and they don't fit into our collection. I could well imagine that we will continue acquiring images by Alÿs. For example, we have an image in which he drew all his most important and typical themes on a large piece of paper. You might easily think: "It would be ——→ **137** great to have all the individual images, too."
Peter Krauskopf is another important artist. We got to know him at an early date. I'm intrigued to see what path he goes down. We have acquired pieces from each phase of his output.

RL Markus Huemer is, like Peter Krauskopf, one of the artists we met very early on, in his studio. He is an artist who can tell a great story to go with his pictures. That definitely played a role for us. Huemer paints in the colors of the digital world, as he puts it. Meaning only in white, black and blue. He gifted us the very first architecture image he ever painted. We've been following his work ——→ **060** for years now, and he is one of the artists from whom we want to acquire great pieces from each group of works. I think he is the person most represented in our collection.

Only recently we got to know Czech artist Vladimír Houdek. He had a show at the Czech Cultural Center in Berlin. Markus Huemer rang one day and said: "Go and see it, it's just round the corner from your place, I can only recommend this guy." And he was right. Houdek uses a formal idiom reminiscent of Constructivism and Cubism, and sometimes even Surrealism. Somehow this all oscillates back and forth in his mechanical sculptures and collages. They're actually paintings in which he employs a unique technique. We swiftly decided that he belonged in our collection and we have since acquired many of his pieces.

Which brings me to my really last question. In the magazine Monopol there is a column called "Whom are you sleeping with?" I always find it very amusing, so let me ask: What art do you have in your bedroom?
EL Exclusively Francis Alÿs.

What images?
RL Drawings. A selection of five Alÿs themes, a girl with her foot in a clay jar; two legs on a chair; a swimmer with a book; a man ——→ **139** with a stick next to the Wall; and *Abukir*, that is the Wall that in ——→ **103** West Jordan demarcates the border between the Palestinian and Israeli territories. The pictures in our bedroom are actually a running gag between Markus Huemer and us. He always says: "One day I want to be in your bedroom, too." That'll be a tough task.
EL Yes, but he's very happy that Alÿs hangs there.
RL I don't want to over-emphasize it, but the reason why the Alÿs pieces are in the bedroom is that they are so small and therefore also fit on a narrow wall. A large format would not fit in our bedroom anyway.

Jörg Immendorff
BRRD, Bein IV, 1978
Mischtechnik auf Papier
[Mixed media on paper]
24,5 × 21 cm

Vielleicht sind die schönsten Momente des Kunstkaufs noch immer die, in denen man noch kaum etwas vom Kunstmarkt kennt und Preise eines seiner großen Geheimnisse sind. Aber man weiß, wie Eva Leinemann, dass man jetzt gerne ein Bild kaufen möchte – und dass es von Immendorff sein muss. Arbeiten auf Papier sind zwar für den Strategen immer das Sparmodell, für den Liebhaber aber oft eine unerwartete Entdeckung und vor allem ein moderater Einstieg ins Sammeln.

Maybe the most beautiful moments when buying art are those when you don't really know much about the art market and prices are still one of its biggest mysteries. But you know, as Eva Leinemann did, that you would like to buy an artwork—and that it had to be by Immendorff. While strategists will continue to view works on paper as the thrifty version, art enthusiasts are often happy to enjoy them as a surprising discovery. And most importantly, they provide a modest entry level for new collectors.

nicht viel zu produzieren und macht auch allerlei Videoarbeiten, die nicht in unsere Sammlung passen. Ich könnte mir gut vorstellen, dass wir auch weiterhin noch Bilder von Alÿs erwerben. Wir haben zum Beispiel ein Bild, in dem er seine wichtigsten und typischen Motive alle zusammen auf einem großen Blatt gezeichnet hat. Da könnte man schon sagen: »Es wäre ⟶ 137 schön, die alle auch als Einzelbilder zu haben.«

Ein weiterer wichtiger Künstler ist Peter Krauskopf. Wir haben ihn schon früh kennengelernt. Da bin ich einfach gespannt, welche Entwicklung er noch nimmt. Seine Schaffensphasen haben wir alle mit Ankäufen begleitet.

RL Markus Huemer ist, wie Peter Krauskopf, ein Künstler, den wir sehr früh kennengelernt haben, in seinem Atelier. Er ist ein Künstler, der zu seinen Bildern sehr gut die Story dahinter erzählen kann. Das hat bei uns sicher auch eine Rolle gespielt. Huemer malt in den Farben der digitalen Welt, wie er sagt. Also nur weiß, schwarz und blau. Wir haben das erste Architekturbild, das er jemals gemalt hat, von ihm geschenkt bekommen. Wir ⟶ 060 begleiten ihn nun schon seit Jahren, er ist einer der Künstler, von dem wir aus jeder seiner Werkgruppen schöne Stücke haben wollen. Von ihm dürften wir die meisten Werke in unserer Sammlung haben.

Erst vor Kurzem haben wir den tschechischen Künstler Vladimír Houdek kennengelernt. Er hatte eine Ausstellung im Tschechischen Zentrum in Berlin. Markus Huemer rief eines Tages an und sagte: »Gucken Sie mal, das ist direkt bei Ihnen um die Ecke, den Künstler kann ich Ihnen empfehlen.« Und er hat recht gehabt. Houdek hat eine konstruktiv-kubistisch anmutende, manchmal leicht surreale Formensprache, irgendwo schwingt es zwischen Maschinenobjekten und Collagen hin und her. Es sind aber eigentlich Gemälde mit einer ganz eigenen Technik. Wir haben uns schnell entschieden, dass er in unsere Sammlung gehört, und wir haben inzwischen etliche Bilder angekauft.

Dann komme ich nun wirklich zu meiner letzten Frage. In der Zeitschrift Monopol *gibt es eine Kolumne, die heißt »Mit wem schlafen Sie?« Die finde ich immer sehr lustig, deshalb hier auch: Haben Sie Kunst im Schlafzimmer?*

EL Ja. Ausschließlich Francis Alÿs.

Welche Bilder sind das?

RL Es sind Zeichnungen. Eine Auswahl von fünf Alÿs-Motiven, Mädchen mit Fuß im Tonkrug, zwei Beine auf dem Stuhl, ein Schwimmer mit Buch, ⟶ 139 ein Mann mit Stöckchen an der Mauer und dann *Abukir*, das ist die Mauer, ⟶ 103 die im Westjordanland das palästinensische und israelische Gebiet abgrenzt. Die Bilder im Schlafzimmer sind übrigens ein Running Gag zwischen

EL But the drawings are so tender, they simply belong in the bedroom.

There are many other stories that the Leinemanns tell during the conversation: about encounters with artists, experiences they have had thanks to or with their artworks, the places where they first saw particular works, the assistance provided by their foundation, the careers of the young artists they have supported …
And while I am listening to them it becomes clear to me that both, for all their differences, talk in a very similar and to my mind very special way about the artworks in their collection. They don't talk about artworks as artworks, but about artworks as companions, friends, family members. The works they collect have become part of their lives. And that includes their working lives, as the rooms in the law office of Leinemann Partner Rechtsanwälte mbB are the permanent home for most of the collection, including the sculptures.

Martin Borowski
Bibliothek 3, 2010
Öl auf Leinwand
[Oil on canvas]
89 × 67 cm

Wenn Sammler einen Maler einladen, sich in ihrem persönlichen Umfeld nach interessanten Motiven umzusehen, ist das ein besonderes Privileg. Martin Borowski begeisterte sich in der Privatbibliothek für eine bei Renovierungsarbeiten freigelegte Nische mit ovalem Fenster, die ihn mit ihrem Lesesessel so faszinierte, dass er sie gleich in drei Varianten malte.

It can be considered a special privilege when collectors invite a painter to look around their personal surroundings for interesting themes. Martin Borowski enthused about the niche exposed by conversion work in the private library; the oval window and reading armchair so fascinated him that he painted three variants on the theme.

Markus Huemer und uns. Der sagt immer: »Eines Tages will ich noch bei euch ins Schlafzimmer kommen.« Das wird nicht leicht.

EL Ja, aber er kann gut damit leben, dass Alÿs bei uns hängt.

RL Ich will das jetzt nicht überbewerten, aber ein Grund, warum die Alÿs-Werke im Schlafzimmer hängen, ist auch, dass sie so klein sind und deshalb auch an eine schmale Wand passen. Ein großes Format hätte in unserem Schlafzimmer gar keinen Platz.

EL Aber die Zeichnungen sind so zart, die gehören einfach ins Schlafzimmer.

Es gibt noch viele andere Geschichten, die die Leinemanns in unserem Gespräch erzählen: Begegnungen mit Künstlern, Erlebnisse, die sie mit und durch ihre Kunstwerke gemacht haben, Räume, in denen sie Arbeiten kennengelernt haben, die Förderaktivitäten der Stiftung, die Werdegänge der jungen Künstler, die sie unterstützt haben ...

Und während ich ihnen dabei zuhöre, wird mir deutlich, dass beide, in all ihrer Unterschiedlichkeit, in einer sehr ähnlichen und für mich besonderen Weise über die Kunstwerke in ihrer Sammlung sprechen. Sie sprechen nicht über Kunstwerke als Kunstwerke, sondern über Kunstwerke als Wegbegleiter, Freunde, Familienmitglieder. Die Werke, die sie sammeln, sind Teil ihres Lebens geworden. Übrigens auch des Arbeitslebens, denn in den Räumen der Anwaltskanzlei Leinemann Partner Rechtsanwälte mbB ist der Großteil der Sammlung – auch Skulpturen – ständig präsent.

Häuser denken

thinking houses

Dirk Skreber
Ohne Titel [*Untitled*], 2000
Öl auf Leinwand
[Oil on canvas]
190 × 260 cm

Thomas Scheibitz
Ohne Titel [*Untitled*]
(Nr. 128), 1997
Acryl auf Leinwand
[Acrylic on canvas]
150 × 270 cm

Thomas Scheibitz
Haus, 2001
Öl und Filzstift auf
Faserplatte und Holz
[Oil and felt-tip pen on
fiberboard and wood]
138 × 175 × 102 cm

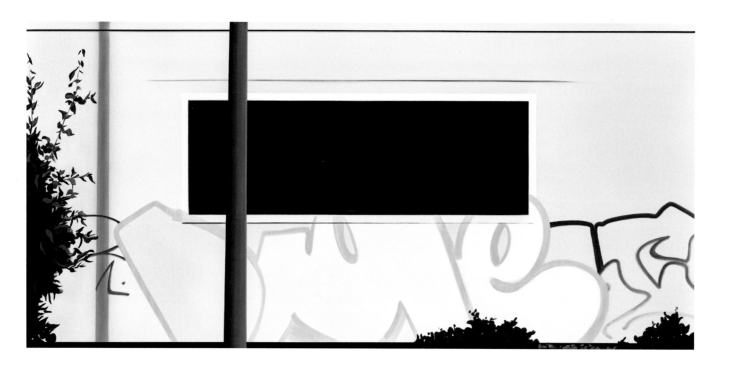

Martin Borowski
Graffiti 2, 2005
Öl auf Leinwand
[Oil on canvas]
103 × 218,5 cm

044

Martin Borowski
Landhaus, 2010
Öl auf Leinwand
[Oil on canvas]
196 × 97 cm

Matthew Houlding
Lone Tree, 2007
Holz, Kunststoff
[Wood, plastic]
90 × 50 × 50 cm

Matthew Houlding
Black Maple, 2008
Verschiedene Materialien
[Mixed media]
34 × 78 × 36 cm

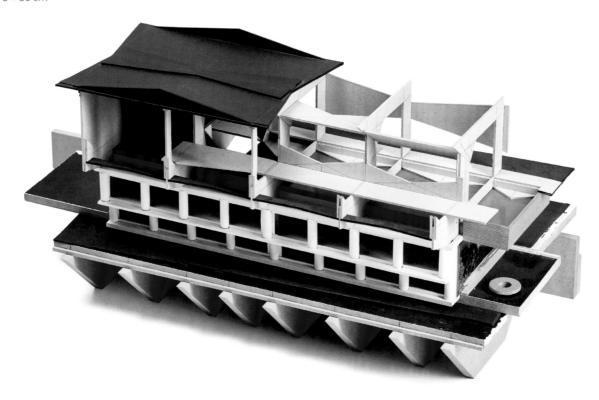

Matthew Houlding
*Climbing on the
balcony ...*, 2007
Verschiedene Materialien
[Mixed media]
34 × 17 × 20 cm

Bettina Pousttchi
Mexico City Time, 2011
Fotografie [Photograph]
120 × 150 cm

Frank Nitsche
RIC-19-2015, 2015
Öl auf Leinwand
[Oil on canvas]
83 × 71 cm

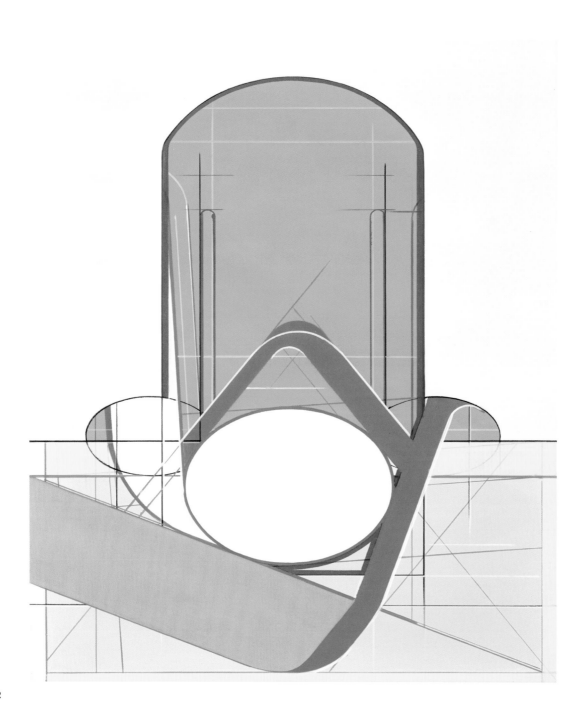

Wolfgang Schlegel
Treppe 2, 2008
Beton auf PU-Schaum
[Concrete on PU foam]
80 × 16 × 29 cm

Wolfgang Laib
Haus, 1990
Bienenwachs
[Bees wax]
19,5 × 12,5 × 65 cm

Jan Ros
Italia, 2009
Öl auf Holz
[Oil on wood]
28 × 44 cm

Eberhard Havekost
Nachtlandschaft, 1994/95
Öl auf Leinwand
[Oil on canvas]
110 × 149,8 cm

Guillaume Lachapelle
Évasion, 2011
Nylon-3-D-Print
[Nylon 3D print]
27 × 18 × 8 cm

Markus Huemer
Atelier, 2011
Öl auf Leinwand
[Oil on canvas]
90 × 120 cm

Kunst
als gegenseitige Leidenschaft
art as a mutual passion

Kunst als gegenseitige Leidenschaft   [Markus Huemer]

Ein großes Landschaftsbild, das noch immer im privaten Salon des Sammlerpaares hängt, und mehrere kleinformatige Aquarelle aus meiner Serie *Neue Bösartigkeit* bildeten den Anfangspunkt eines bis heute andauernden Interesses von Eva und Ralf Leinemann an meiner künstlerischen Arbeit. Daraus hat sich eine ganz eigene, mir sehr wichtige Freundschaft entwickelt, die nicht nur auf einer gleich zu Beginn spürbaren persönlichen Sympathie fußt, sondern vor allem auch auf der Haltung und dem Blick der beiden – einem Blick auf die Kunst, der wiederum mein eigenes Schaffen nachhaltig befruchtet. Schnell wurde offenbar, dass sich beide weder an Markt- noch an Kunstbetriebsmechanismen orientieren, sondern sich sehr intensiv dem Werk einzelner Künstlerinnen oder Künstler zuwenden, dessen Entwicklung beobachten, kritisch und – wie in meinem Fall – auch fördernd begleiten.

So sehr wie sie in ihrem Leben generell konsequent und bemerkenswert loyal agieren, war und ist auch der Umgang mit meinen Bildern konsequent und loyal, was eine rare, ungewöhnliche Tugend im Kunstbetrieb ist: Es entstehen dabei sehr persönliche Bindungen, eigenwillige Perspektiven und besondere Beziehungen zwischen den Sammlern und den Werken, und das ist wiederum ein Moment, das auch in meinem eigenen künstlerischen Schaffen so angelegt ist. So wie ich selbst in größeren Serien und Werkkomplexen arbeite, so verfolgen auch Eva und Ralf Leinemann »ihre« Künstler mit langem Atem, schauen genau hin, interessieren sich für Weiterentwicklungen und Veränderungen gerade bei denen, die sie einmal für interessant befunden haben. Daraus entsteht eine für mich sehr faszinierende Verdichtung einer Sammlung, die sich darum bemüht, verschiedene Schaffensphasen von Künstlern abzubilden, die Breite des Blicks durch eine Intensivierung des genauen Hinschauens wieder zu fokussieren.

Dazu gehören auch regelmäßige Atelierbesuche, die ich immer sehr freudig, aber durchaus auch mit einer gewissen Spannung erwarte. Denn es zählt, was sie zu einzelnen Bildern, Ideen oder Projekten zu sagen haben. Und nicht selten war eine Bemerkung, ein Hinweis oder schlicht einfach nur eine Frage plötzlich Inspirationsquelle für eine ganze Reihe von Werken – wie beispielsweise meine mir inzwischen sehr wichtige Serie mit Architekturmotiven, die definitiv auch auf Gespräche mit Ralf und Eva Leinemann zurückgeht. So ist ein für mich sehr wichtiges, teils sogar nonverbales Verhältnis mittels Gemälden zu zwei Menschen entstanden, die sich für mein Werk interessieren, es sammeln und vor allem nicht nach Wert und Renommee schauen, sondern die Kunst, die Künstler und die Auseinandersetzung lieben.

art as a mutual passion   [Markus Huemer]

A large landscape painting that still hangs in Eva and Ralf Leine-mann's private salon and several small-format watercolors from my *Neue Bösartigkeit* [New Malice] series formed the starting point of their interest in my creative work, which endures to this day. It has spawned a friendship that is very important to me, which is rooted not only in a level of personal empathy that was palpable from the beginning, but most significantly also in the couple's attitude and outlook—an outlook on art which, in turn, fosters my own creativity on an ongoing basis. It quickly be-came clear that both were driven neither by the market nor the mechanisms of the art scene, but rather looked very intensively towards the oeuvres of individual artists, whose development they observed and followed both critically and—as in my case—encouragingly.

Just as they tend to act with consistent and remarkable loyalty in other areas of life, so they have been consistent and loyal to my paintings too, something that is a rare and unusual virtue in the world of art. As a result, a very personal bond has arisen, idiosyn-cratic perspectives and specific relationships between the collec-tors and the works, and that is moreover a tangent inherent in my own creative work, too. Just as I myself work in larger series and complexes of works, so Eva and Ralf Leinemann follow "their" artists with a long-term perspective, watching closely, curious about further developments and changes in those specific artists they found interesting at a particular point in time. What emerges from this is, for me, the fascinating consolidation of a collection that aims to illustrate various creative phases of artists, to re-focus the breadth of view through an intensification of precise examination.

This also involves regular studio visits, which I always await eagerly, although with a certain sense of trepidation. After all, what they have to say about individual images, ideas or projects really mat-ters. And not infrequently a comment, piece of advice or merely a question has suddenly become the source of inspiration for an entire series of works—as, for example, with my series using ar-chitectural themes, which has now become very important for me and most certainly originates in discussions with Ralf and Eva Leinemann. Hence, through paintings, I have developed what is, for me, a very important and in some ways even non-verbal re-lationship with two people who are interested in my work, collect it and, most importantly, do not focus on monetary value or re-nown, but rather are passionate about the art, the artist and the confrontation.

Markus Huemer
*Wer Backups macht
ist feige*, 2013
Öl auf Leinwand
[Oil on canvas]
160 × 120 cm

Baustellen
construction
sites

Martin Borowski
KPC, 2014
Öl auf Leinwand
[Oil on canvas]
140 × 105 cm

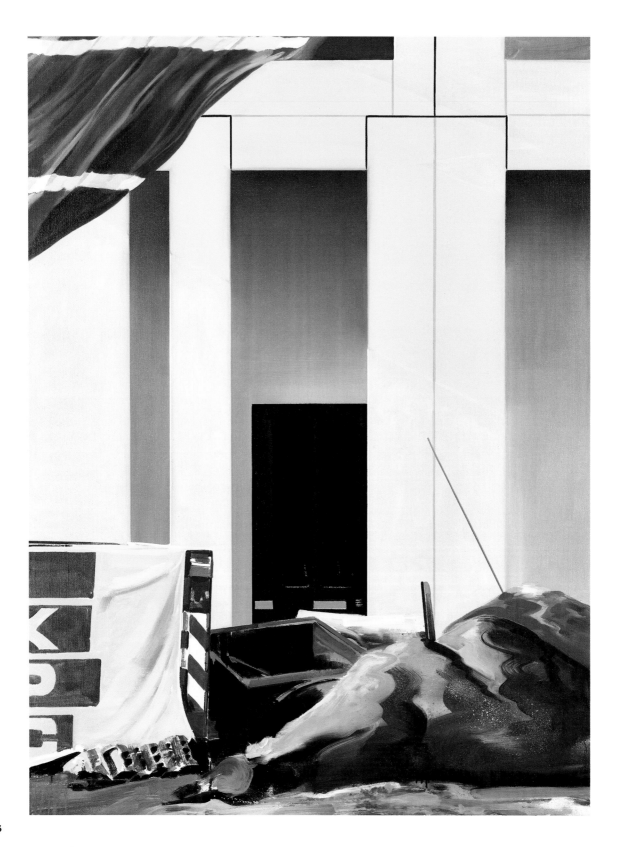

Martin Borowski
Tank, 2013
Öl auf Leinwand
[Oil on canvas]
90 × 105 cm

Jan Muche
Raster, 2011
Acryl, Tusche auf Leinwand
[Acrylic, Indian ink on canvas]
51,9 × 87,1 cm

Philipp Hennevogl
Aufzug, 2011
Linolschnitt [Linocut]
91 × 135 cm

Jan Muche
Ohne Titel [*Untitled*], 2014
Acryl, Tusche, Asche,
Bootslack auf Leinwand
[Acrylic, Indian ink, ash,
spar varnish on canvas]
60 × 50 cm

Konrad Klapheck
Im Zeitalter der Gewalt I, 1994
Acryl auf Leinwand
[Acrylic on canvas]
109,6 × 253 cm

Ralph Fleck
*LKW, Rückseite III
(Gegenlicht)*, 1978
Mischtechnik
auf Packpapier
[Mixed media
on brown paper]
74,5 × 49 cm

LKW, Rückseite III (Carosserie)   Rudolf Jahns 79

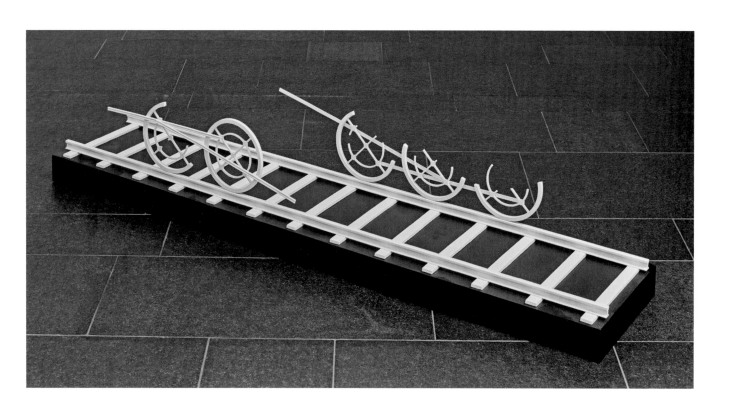

Adam Velíšek
Räderwerk, 2014
Polyurethan, Pressspanplatte
[Polyurethane, pressboard]
150 × 31 × 30 cm

078

Olaf Holzapfel
3 in 1, 1 Hit (838), 2011
Acrylglas, Sperrholz-
sockel, lackiert
[Acrylic glass,
plywood base, varnished]
41 × 46 × 34 cm,

Arman
Fleurs Aquatiques, 1980
Spachtel, verschweißt
[Spattle, welded]
31,5 × 82 × 50 cm

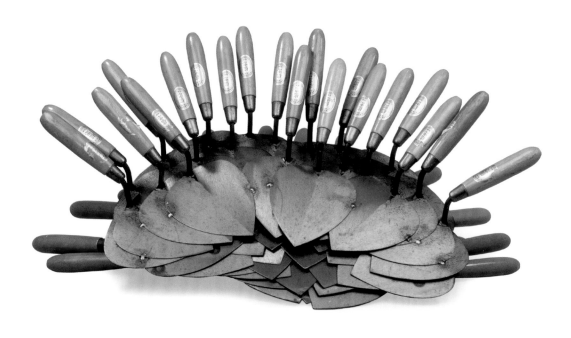

Markus Draper
Falling and Waving, 2003
Acryl auf MDF [Acrylic on MDF]
135 × 180 cm

Tony Cragg
Thinking in Circles, 2010
Bronze patiniert
[Bronze, patinated]
50 × 80 × 45 cm

Richard Kaplenig
E 61, 2014
Öl auf Leinwand und
Papier [Oil on
canvas and paper]
170 × 150 cm

Richard Kaplenig
Inbusschlüssel, 2014
Öl auf Leinwand und Papier
[Oil on canvas and paper]
70 × 70 cm

Cäcilia Brown
Ohne Titel [*Untitled*]
aus der Serie
[from the series]
*Intercity. Willkommen
im Parlament*, 2014
Beton, Bewehrungsstahl
[Concrete, armoring]
125 × 32 × 40 cm

086

Matrix der Stadt
city matrix

Philippe Cognée
Mirage (Diptychon), 2010
Wachs, pigmentiert
auf Leinwand
[Pigmented wax
on canvas]
195 × 260 cm

Maki Na Kamura
F-S Pagodas XII, 2013
Öl, Wasser auf Leinwand
[Oil, water on canvas]
110 × 180 cm

Martin Kobe
Ohne Titel [*Untitled*], 2015
Acryl auf Leinwand
[Acrylic on canvas]
50 × 80 cm

Claudia Larcher
*Social houses in pais vasco
(Alava, Bizkaia, Gipuzkoa)*, 2012
3 Papiercollagen,
montiert in Holzkästen
[3 paper collages,
mounted in wooden boxes]
je [each] 18 × 28 × 8 cm

Yutaka Sone
Highway Junction 405-10,
2003–2011
Marmor auf Holzsockel
[Marble on wooden base]
22,5 × 118,1 × 161,3 cm

Yutaka Sone
405-10, 2015
Acryl auf Leinwand
[Acrylic on canvas]
121,9 × 182,9 cm

Jan Ros
Intersection, 2012
Öl auf Holz
[Oil on wood]
120 × 138 cm

Torben Giehler
In the Flat Field, 2000
Acryl auf Leinwand
[Acrylic on canvas]
202 × 202 cm

Ulrich Knispel
*Landschaft mit
Startrampe*, 1977
Öl auf Leinwand
[Oil on canvas]
130 × 130 cm

Yin Xiuzhen
Portable City: Madrid, 2012
Koffer, getragene Kleidung,
Soundinstallation
[Suitcase, used clothes,
sound installation]
100 × 151 × 87 cm

Francis Alÿs
Ohne Titel [*Untitled*]
(Urban Squat), 1996
2-teilig: Öl, Enkaustik auf
Leinwand und Emaille auf Blech,
gemalt von Emilio Rivera
[2 parts: Oil, encaustic on canvas
and enamel on metal plate,
painted by Emilio Rivera]
120,7 × 91,4 cm
und [and] 16,5 × 20 cm

Francis Alÿs
Ohne Titel [*Untitled*] *(Abukir)*, 2004
Öl, Pigmente auf Leinwand,
auf Holz aufgezogen
[Oil, pigment on canvas,
mounted on wood]
20,5 × 15 cm

Ohne Titel [*Untitled*], 1995
Öl, Grafit auf Pergament
[Oil, graphite on parchment]
23,5 × 26 cm

Study for the Modernist, 2005
Bleistift, Öl auf Pergament
[Pencil, oil on vellum]
54,7 × 38 cm

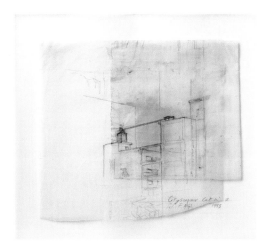

Eduardo Paolozzi
Matamalla, 1979
Bronze, gelbbraune Patina
[Bronze, yellowish-brown patina]
22 × 24 × 3 cm

Michael Bach
Alex, 1999
Öl auf Leinwand
[Oil on canvas]
80 × 300 cm

Philipp Hennevogl
Torres blancas, 2012
Linolschnitt [Linocut]
120 × 76 cm

Stefan Hoenerloh
Mesa Verde, 2004
Mischtechnik auf MDF-Platte
[Mixed media on MDF board]
178 × 135 cm

Stefan Hoenerloh
*Dekonstruktion mit Kohärenz
(Lindenlampe)*, 2013
Öl, Acryl auf Polyester
[Oil, acrylic on polyester]
215 × 147 cm

Rainer Fetting
N.Y. Pier, 1985
Aquarell, Gouache auf Karton
[Watercolor, gouache
on cardboard]
48 × 60,8 cm

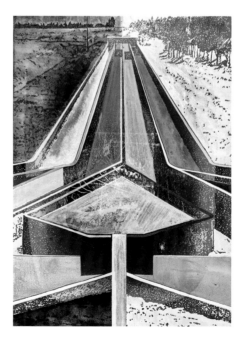

Jan Muche
Trichter, 2011
Acryl, Tusche auf Leinwand
[Acrylic, Indian ink on canvas]
150 × 130 cm

Kanal, 2011
Acryl, Tusche auf Leinwand
[Acrylic, Indian ink on canvas]
63,7 × 86,7 cm

Markus Huemer
*Es ist unnötig, weil längst
falsifiziert, oder
eine Tautologie*, 2016
Öl auf Leinwand [Oil on canvas]
80 × 180 cm

Jörg Immendorff
ohne Titel (Mannesmann), 1997
Acryl, Gouache auf Leinwand
[Acrylic, gouache on canvas]
48 × 68 cm

118

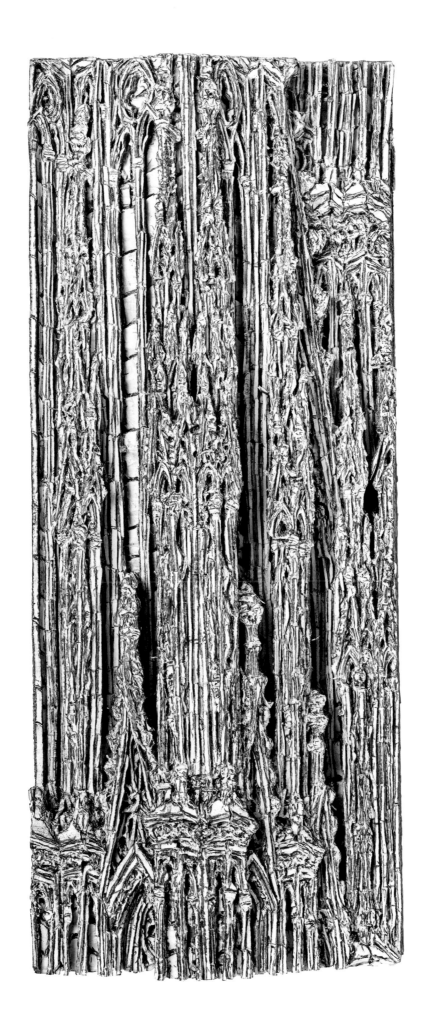

Martin Spengler
Kathedrale, 2016
Mischtechnik auf
Wellpappenrelief
[Corrugated
cardboard relief]
70 × 30 × 14,4 cm

119

Markus Huemer
Erfolg ist ein scheues Reh.
Der Wind muss stimmen, die Witterung,
die Sterne und der Mond, 2015
Öl auf Leinwand [Oil on canvas]
200 × 150 cm

Markus Huemer
*Die Geiseln haben mit
Abreise gedroht*, 2015
Öl auf Leinwand
[Oil on canvas]
160 × 240 cm

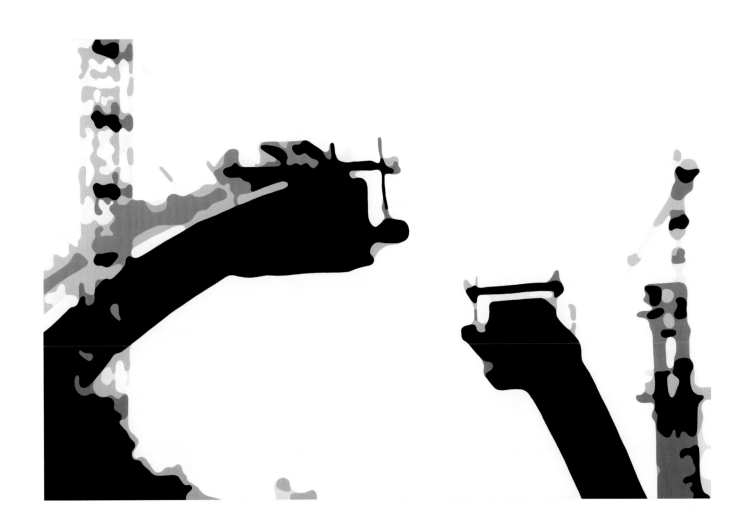

Carl Grossberg
Brückenbau, 1935
Aquarell, Tuschfeder
auf Bütten
[Watercolor, Indian ink
on handmade paper]
40 × 50 cm

Peter Ruehle, *N. Y.*, 2012
Öl auf Leinwand [Oil on canvas]
400 × 200 cm

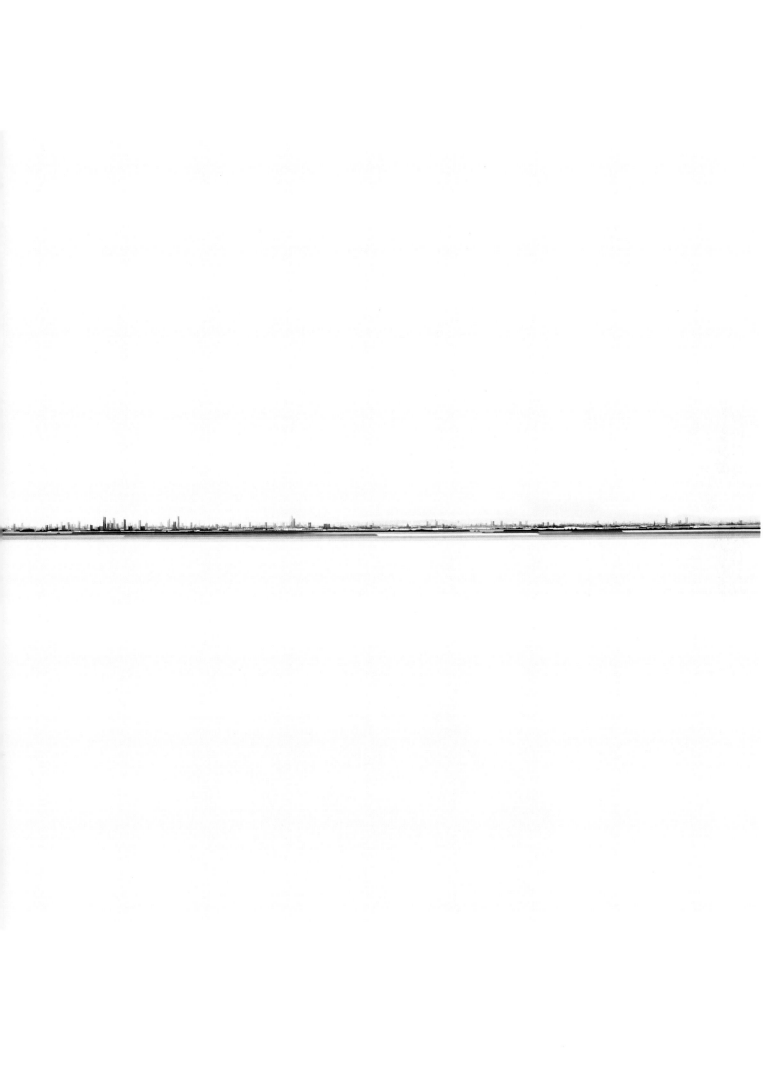

Jakub Geltner
Monument, 2010
20-teilig, Papier, Pappe,
Kodak-Fotodruck
[20 parts: paper, cardboard,
Kodak photo prints]
7 × 7 × 5,5 cm

Leben einrichten
living interiors

Jörg Immendorff
Ätsch, ich darf, 1978
Kunstharz auf Leinwand
[Synthetic resin on canvas]
150 × 150 cm

A. R. Penck
Wallensteins Ermordung, 1999
Acryl auf Leinwand
[Acrylic on canvas]
250 × 200 cm

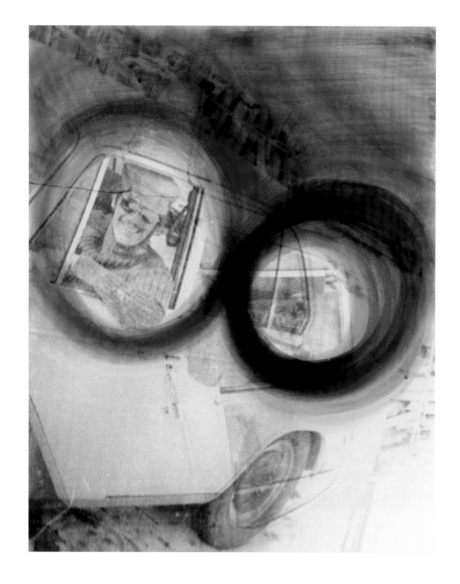

Sigmar Polke
Ohne Titel [*Untitled*],
ohne Datum [undated]
Filzstift auf Silber-
gelatineabzug
[Felt pen on gelatin
silver print]
51 × 73 cm

Sigmar Polke
Ohne Titel [*Untitled*],
ohne Datum [undated]
Farbe auf Silber-
gelatineabzug
[Paint on gelatin
silver print]
51 × 73 cm

Francis Alÿs
Ohne Titel [*Untitled*], 1996
2-teilig, Öl auf Leinwand und
Emaille auf Blech, gemalt von
Emilio Rivera [2 parts: oil on
canvas and enamel on metal
plate, painted by Emilio Rivera]
92 × 65 cm und [and] 17 × 20 cm

Francis Alÿs
Study for Cabinet, 1999
Öl, Bleistift, Klebeband
auf Pergament
[Oil, pencil, adhesive tape
on vellum]
40 × 60 cm

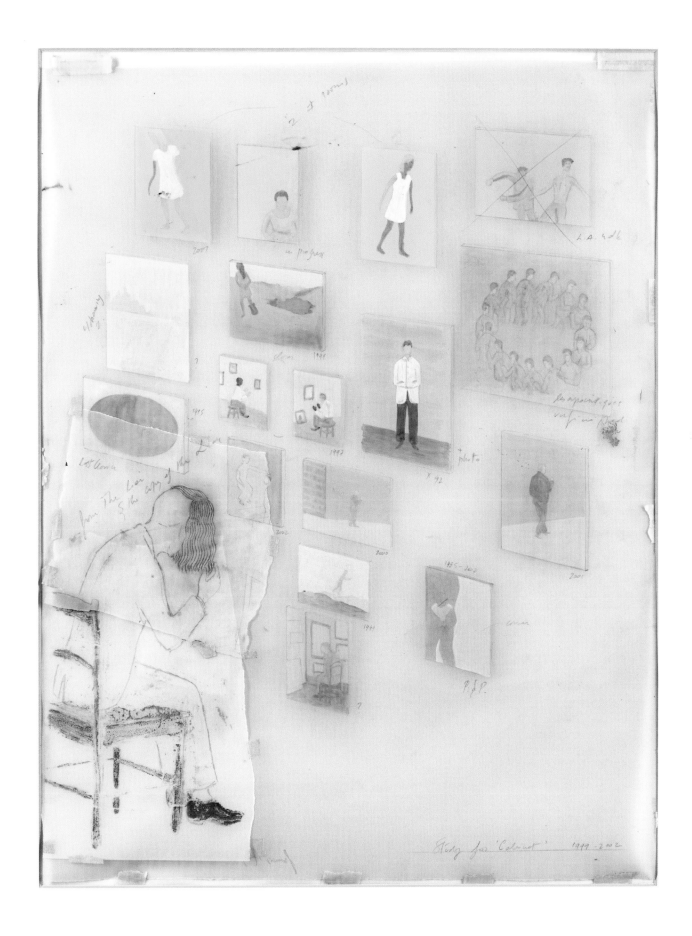

Francis Alÿs
Interior, 1996
2-teilig, Öl auf Leinwand und
Öl, Bleistift auf Pergament
[2 parts: oil on canvas and
oil, pencil on vellum]
17,1 × 21 und [and] 32 × 34,5 cm

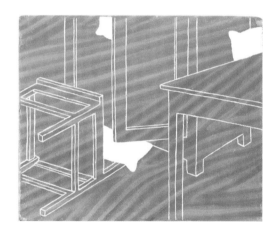

Francis Alÿs
Ohne Titel [*Untitled*]
(After the Rain), 1997
Collage, lackiert, auf Papier
[Collage, varnish on paper]
11,5 × 11,5 cm

Ohne Titel [*Untitled*], 2005
Öl, Bleistift auf Pergament
und Bütten, Collage [Oil,
pencil on vellum and and
handmade paper, collage]
19,2 × 14,4 cm

Study for the Word, 2007
Bleistift, Öl auf Pergament
[Pencil, oil on vellum]
30 × 35 cm

Jörg Immendorff
Mein Weg ist richtig, 1983
Acryl auf Leinwand
[Acrylic on canvas]
150 × 200 cm

Eberhard Havekost
Reflexion, 1999
Öl auf Leinwand
[Oil on canvas]
59,8 × 39,8 cm

Martin Borowski
Fashion Shop II, 2005
Öl auf Leinwand
[Oil on canvas]
190 × 200 cm

143

Martin Borowski
Bibliothek 1, 2010
Öl auf Leinwand
[Oil on canvas]
151 × 105 cm

Tony Cragg
Luke, 2008
Bronze, patiniert
[Bronze, patinated]
120 × 35 × 35 cm

Philipp Hennevogl
Glas, 2013
Linolschnitt [Linocut]
30 × 40 cm

Markus Huemer
Viele farbenfröhliche Trojans, 2005
Öl auf Leinwand [Oil on canvas]
240 × 180 cm

Markus Huemer
*Rotbrauner Autrun Wurm Morphex
(Version 1.6) mit leicht giftigen Blättern,* 2011
Öl auf Leinwand [Oil on canvas]
240 × 180 cm

Markus Huemer
Leuchterblume 1.0.
(Ceropelia linearis), 2006
Öl auf Leinwand
[Oil on canvas]
80 × 60 cm

150

Markus Huemer
Neue Bösartigkeit (38), 2004
Öl auf Leinwand
[Oil on canvas]
60 × 80 cm

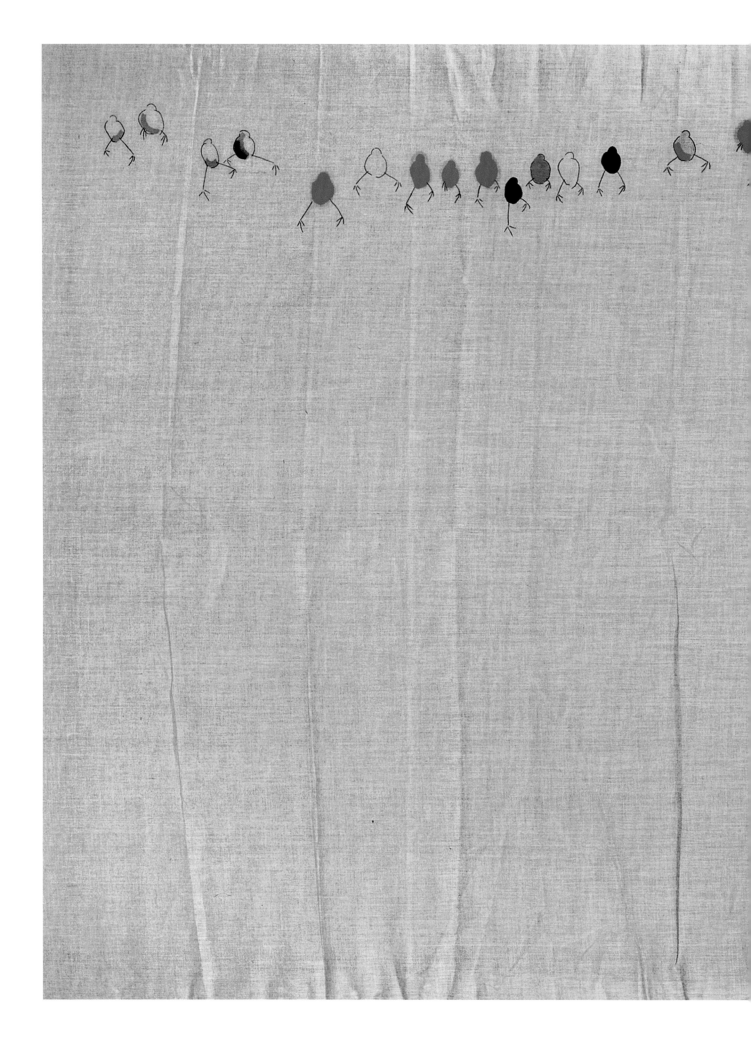

Markus Huemer
*Es gibt Situationen im Leben,
da ist das Schicksal ganz
klar auf meiner Seite,* 2005
Acryl auf Leinwand
[Acrylic on canvas]
180 × 240 cm

Thomas Scheibitz
Ohne Titel (Nr. 140), 1998
Öl auf Leinwand
[Oil on canvas]
215 × 147,5 cm

Adel Abdessemed
Mappemonde, 2013
Bedruckter Stahl
[Printed steel]
Ø 172 cm

Tatjana Doll
Container_003, 2009
Lack auf Leinwand
[Lacquer on canvas]
190 × 160 cm

Igor Eskinja
Reconstruction, 2009
Lambda-Print auf Alu-Dibond
[Lambda print on alu dibond]
120 × 150 cm

Igor Eskinja
Made Inside (No. 4), 2006
Lambda-Print auf Alu-Dibond
[Lambda print on alu dibond]
120 × 150 cm

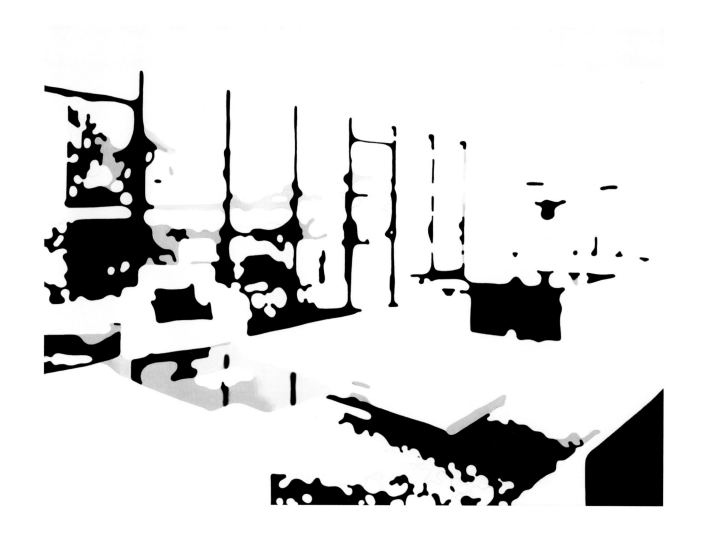

Markus Huemer
*Die durchschnittliche Nutzung
einer Bohrmaschine beträgt
im gesamten Leben eines
Menschen nur ca. 13 Minuten*, 2014
Öl auf Leinwand [Oil on canvas]
90 × 120 cm

Zeichen + Systeme signs + systems

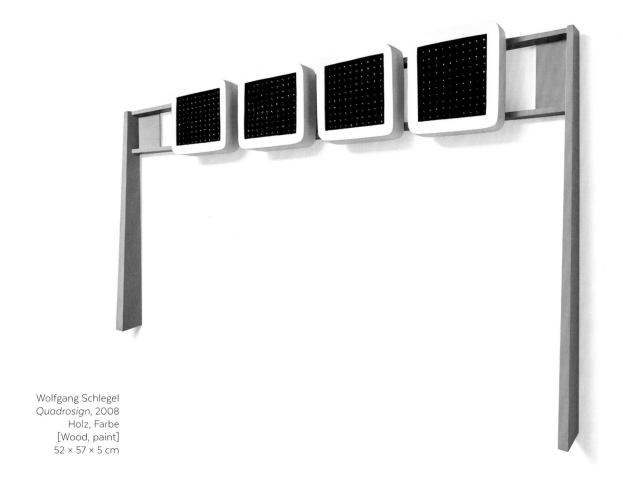

Wolfgang Schlegel
Quadrosign, 2008
Holz, Farbe
[Wood, paint]
52 × 57 × 5 cm

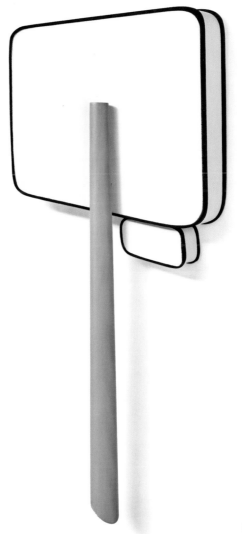

Wolfgang Schlegel
Sign with Baby, 2007
Holz, Farbe [Wood, paint]
38 × 20 × 5 cm

Eberhard Havekost
Miami, 2007
Öl auf Leinwand
[Oil on canvas]
170,5 × 105,5 cm

Martin Borowski
Rotterdam, 2005
Öl auf Leinwand
[Oil on canvas]
62 × 50 cm

Peter Krauskopf
Nr. 53-03, 2003
Alkydharz auf Leinen
[Alkyd resin on linen]
90 × 120 cm

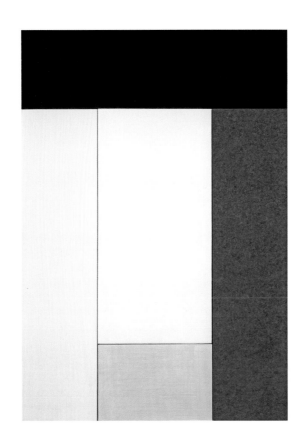

Imi Knoebel
Portrait, 1993
Acryl, Perlmuttfarbe,
Pressspan auf Holz
[Acrylic, mother-of-pearl
paint, chipboard]
50,1 × 35,3 × 8,8 cm

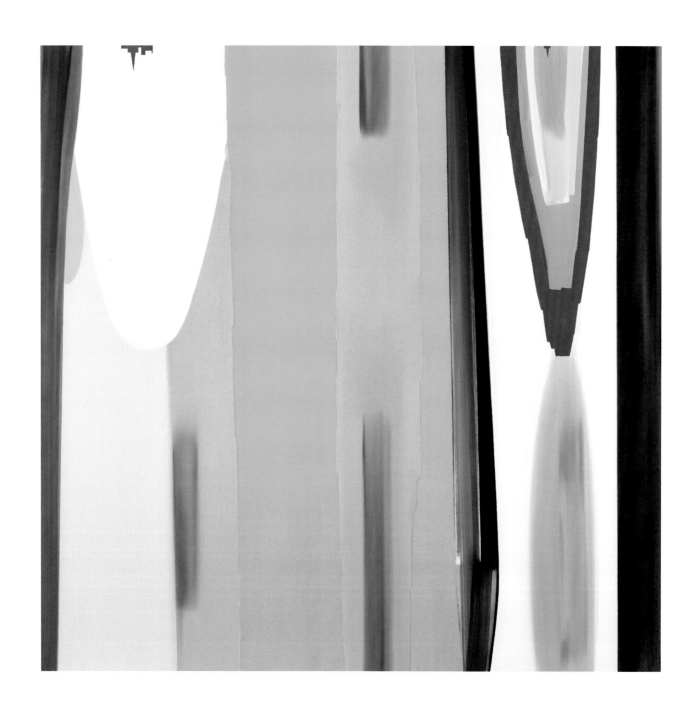

Martin Borowski
Sturzsimulation 1, 2000
Öl auf Leinwand
[Oil on canvas]
190 × 195 cm

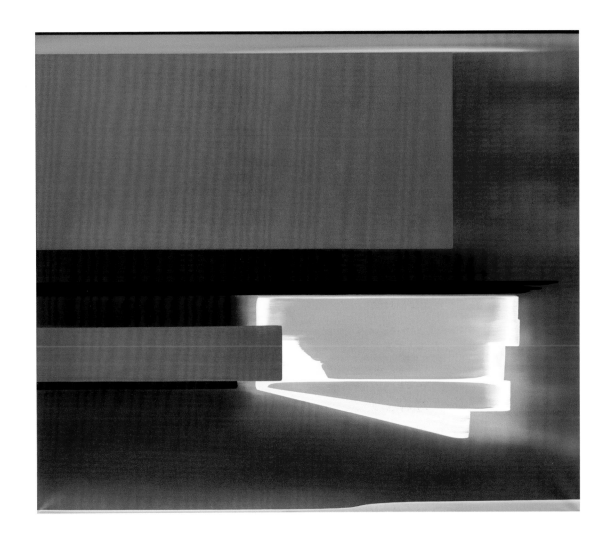

Martin Borowski
Modul red window (kl.), 2002
Öl auf Leinwand
[Oil on canvas]
120 × 140 cm

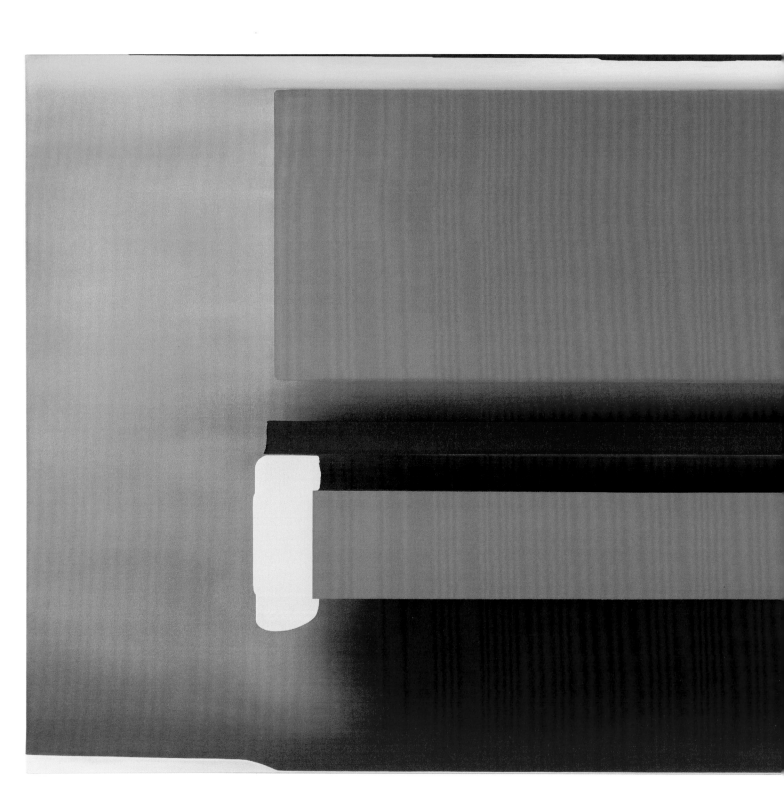

Martin Borowski
Module Red / Green, 2002
Öl auf Leinwand
[Oil on canvas]
130 × 290 cm

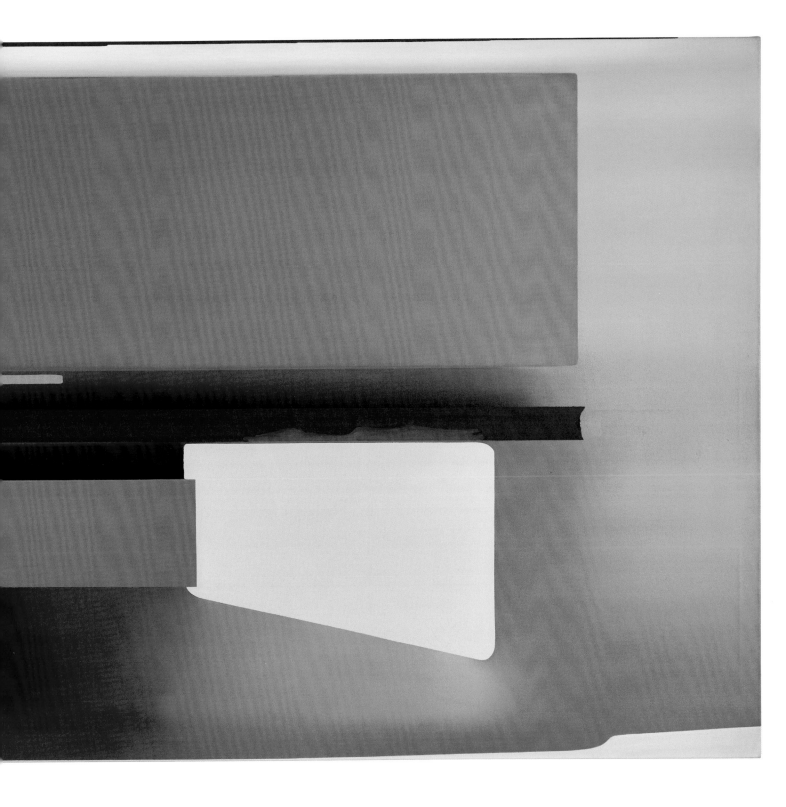

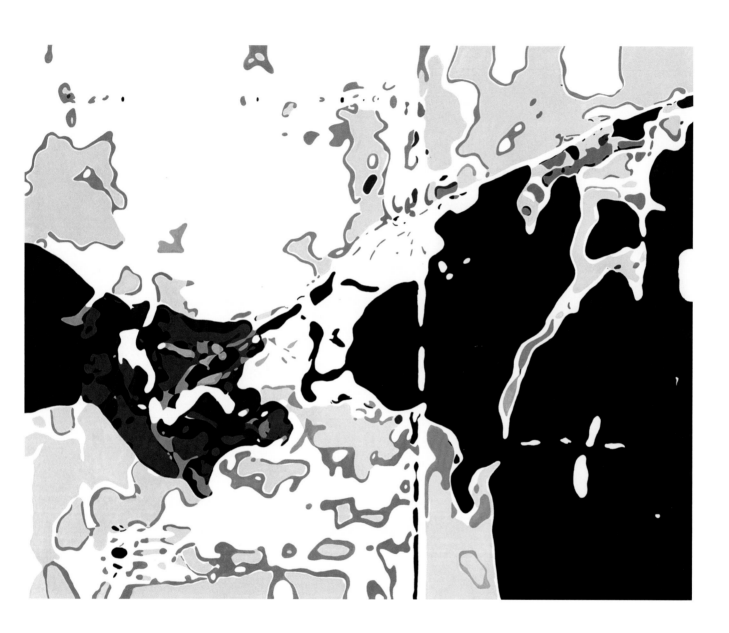

Markus Huemer
arcadia (02), 2000
Acryl, Lack auf Leinwand
[Acrylic, lacquer on canvas]
160 × 200 cm

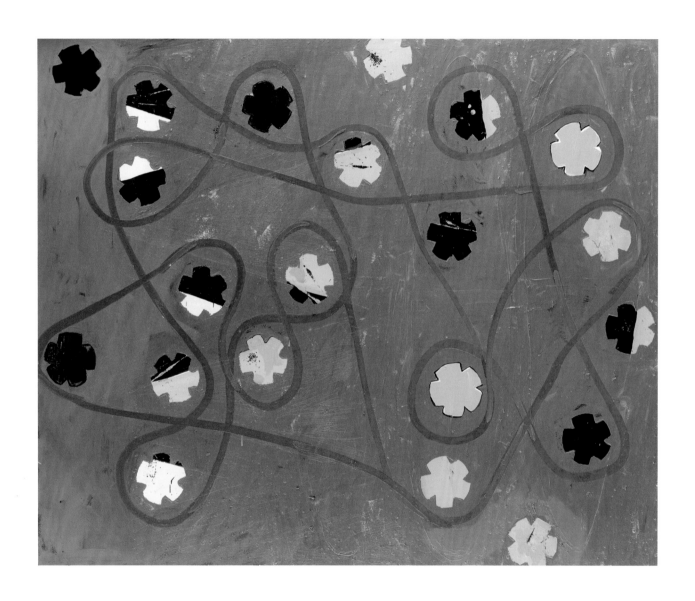

Dominik Bucher
Rote Linie, 2009
Öl auf Leinwand
[Oil on canvas]
190 × 230 cm

Vladimír Houdek
Ohne Titel [*Untitled*], 2015
Öl, Acryl auf Leinwand
[Oil, acrylic on canvas]
230 × 180 cm

Vladimír Houdek
Ohne Titel [*Untitled*], 2013
Öl, Papier auf Leinwand
[Oil, paper on canvas]
60 × 50 cm

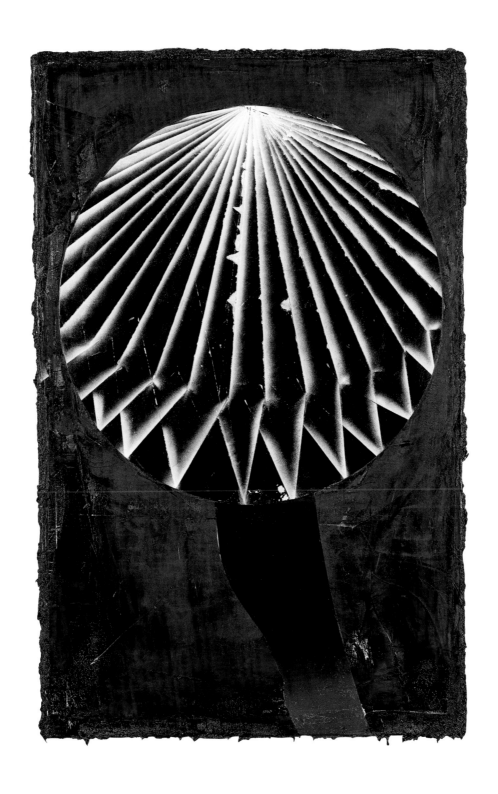

Vladimír Houdek
Ohne Titel [*Untitled*]
(Toyen), 2013
Öl, Papier auf Leinwand
[Oil, paper on canvas]
140 × 90 cm

Vladimír Houdek
Ohne Titel [*Untitled*]
(AX6), 2014
Öl, Acryl auf Leinwand
[Oil, acrylic on canvas]
72 × 53 cm

mehr tun, als man vorhat – Vladimír Houdek – doing more than planned

mehr tun, als man vorhat – Vladimír Houdek in der Sammlung Leinemann
[Oliver Zybok]

Es gibt Handlungen, die in einer bestimmten Absicht ausgeführt werden, mit denen gleichzeitig aber auch etwas anderes getan wird, das nicht zwangsläufig beabsichtigt war. Jemand, der leidenschaftlich gerne Comics liest, das ausgelesene Heft ins Regal stellt und sogleich ein neues kauft, ist noch lange kein Sammler. Und auch jemand, der sich seine kahlen Wände in der Wohnung schmücken möchte, eine Zeichnung, ein Aquarell oder ein Gemälde erwirbt, ist kein Kunstsammler – auch wenn ihn ein schmeichelnder Galerist schon als solchen bezeichnen mag. Nicht immer, wenn jemand etwas zusammenträgt, sammelt er auch. Trotzdem ergibt sich aus der Tätigkeit eine Ansammlung von Dingen. Das Ziel ist jedoch nicht zwangsläufig der Aufbau einer Sammlung – ähnlich verhielt es sich bei Eva und Ralf Leinemann, nachdem sie ihr erstes Kunstwerk erworben hatten.

Ergibt sich nun im Laufe der Zeit die Absicht, die alten Comics nicht mehr zu entsorgen, falls das Regal voll ist, sondern ein zweites und drittes aufzubauen; oder wächst das Bedürfnis, die Kunstwerke nach einem gewissen zeitlichen Abstand in der Wohnung und in den Büroräumen auszutauschen, andere einzulagern; oder reift gar die Idee, deswegen eine größere Unterkunft zu suchen – dann vollzieht sich der ästhetische Schritt von einer Ansammlung zu einer Sammlung, vom Gewahren zum Bewahren. Der Sammler sorgt für die Präsenz dessen, was er für bewundernswert und anschauungswürdig hält. Diese Präsenz bedeutet, anwesend zu sein, fortzubestehen, dem Sammler jederzeit zugänglich. Weitet sich der Vorgang des Erwerbs von Kunstwerken oder anderen Dingen aus, dann geschieht dieser Akt mit dem wahrscheinlichen Ergebnis, dass der Ausführende möglicherweise mehr tut, als er vorhatte.

Der hier kurz skizzierte Prozess wird besonders anschaulich, wenn man mit Eva und Ralf Leinemann durch die zahlreichen Räume ihrer Anwaltskanzlei in der Friedrichstraße in Berlin wandelt, in der sich an jeder verfügbaren Wandfläche Kunstwerke befinden. In den Anmerkungen zu den Werken, die einen Schwerpunkt auf eine Motivik im Kontext von Architektur und Urbanität legt, und zu den von ihnen gesammelten Künstlerinnen und Künstlern bemerkt man rasch, wie sie im Laufe der Zeit ihre Ansammlung von zeitgenössischer Kunst zu einer umfangreichen Sammlung erweitert haben. Diese Entwicklung ergab sich weniger durch gezielte,

doing more than planned—Vladimír Houdek in the Leinemann
Collection   [Oliver Zybok]

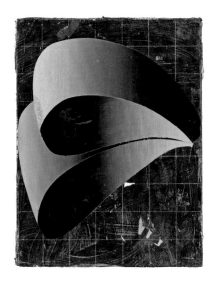

Vladimír Houdek
Ohne Titel [*Untitled*]
(*A Bent*), 2014
Öl, Papier auf Leinwand
[Oil, paper on canvas]
50 × 35 cm

There are actions that are carried out with a particular intention through which, however, something else is simultaneously achieved in addition to what was originally intended. Anyone who is passionate about reading comics, who places the one he or she has read from beginning to end on the shelf and immediately buys a new one, is far from being a collector. And anyone who wants to decorate bare walls in his or her apartment and hence acquires a sketch, a watercolor or a painting is not an art collector—even if a smooth-talking gallery-owner might have labelled them as such. Amassing things doesn't automatically make you a collector of them. Nevertheless, such activity does result in an accumulation of such things. The aim, however, is not necessarily the creation of a collection. And the above certainly applied to Eva and Ralf Leinemann when they acquired their first artwork.

Yet if, over the course of time, the intention arises no longer to dispose of the old comics once the shelf is full, but rather to build a second and a third shelf; or if there is a growing need after a certain interval to change the artworks in your home or office and install others, or indeed if this results in the idea of seeking a bigger home or office, then that is when the activity takes the aesthetic step from accumulating to collecting, from hoarding to preserving. The collector ensures the presence of that which he or she finds admirable and worthy of attention. This presence means being around, enduring, being accessible to the collector at all times. Where the process of acquiring artworks or other things broadens, then this act will probably have the result that the person doing it then ends up doing more than he or she ever planned.

The above-mentioned process really strikes you if you join Eva and Ralf Leinemann for a stroll round the numerous rooms of their law firm on Friedrichstrasse in Berlin, in which all the available wall space is covered in artworks. From the comments on the works, which tend to focus on themes relating to architecture and the urban environment, and on the artists whose works they collect, you quickly notice how, over the course of time, their accumulation of contemporary art expanded into a comprehensive collection. This development arises less through conscious purchases from gallery-owners with a market strategy in mind; rather, it is more the product of "journeys of discovery," such as those you might experience by visiting studios and art institutions. Thus it

marktstrategisch orientierte Einkäufe bei Galeristen, sondern vielmehr durch »Entdeckungsreisen«, wie man sie bei Besuchen in Ateliers und Kunstinstitutionen erleben kann. So besuchte Ralf Leinemann auf Empfehlung eines Künstlers seiner Sammlung 2013 eine Ausstellung im Tschechischen Zentrum in Berlin mit Werken des in Prag lebenden Künstlers Vladimír Houdek (geb. 1984). Begeistert von der Präsentation erwarb er sogleich einige Bilder, die trotz ihrer reduzierten Farbigkeit auf Schwarz und Weiß, ergänzt durch abgestufte Grautöne, eine große ästhetische Präsenz besitzen – ein spontaner Kauf von Kunst, der vor dem Besuch der Ausstellung nicht unbedingt eingeplant war.

Houdeks Malerei ist von einem geometrischen Formenvokabular geprägt. Die Geometrie stellt eine gestalterische Grundlage der Architektur dar, sodass sich Künstler, die in diesem Feld arbeiten, im erweiterten Sinne in das architekturbezogene Sammlungskonzept von Eva und Ralf Leinmann integrieren lassen. Neben den klassischen geometrischen Grundformen wie Kreis, Dreieck und Viereck tauchen bei Houdek Ellipsen und Rauten auf, zusätzlich Fächer, Leporellos, Schleifen, Membranen und Schrauben. Durch die Reduktion der Farbe auf ein minimales Spektrum wird deutlich, worum es dem Künstler geht: die Isolierung einer Form beziehungsweise eines Formgefüges. Houdek übermalt seine Oberflächen mehrmals, bis zu zwanzig Mal, klebt einzelne Partien für neue Kompositionselemente ab, um sie dann gegebenenfalls in einem Korrektiv erneut zu übermalen oder zu überspachteln. All diese Begebenheiten des künstlerischen Prozesses geben seinen Arbeiten ihre eigenwillige Ästhetik, wie sie Ralf Leinemann seit seiner ersten Begegnung erlebt hat. Durch die darauf folgende intensivierte Beschäftigung mit dessen künstlerischem Werdegang ergab sich eine Faszination, die weitere Ankäufe von Werken des Künstlers nach sich zogen. Und schließlich wurde daraus eine Leidenschaft, die dazu führte, dass aus den Sammlern Eva und Ralf Leinemann Mentoren von Vladimír Houdek geworden sind, die über ihre in Hamburg ansässige Stiftung die erste Ausstellungstournee des Künstlers (Lübeck, Goslar, Erlangen, Prag) mit begleitender Publikation unterstützt haben.

Es ist nicht leicht, eine derartige Faszination für die zeitgenössische Kunst, wie sie Eva und Ralf Leinemann offenbaren, kurz und knapp zusammenzufassen, da ihre Facetten vielschichtig sind. Dem Kunsttheoretiker Heinrich Heil ist dies verallgemeinernd ansatzweise gelungen: »Wer dem Mysterium der Schaulust nachspürt, wird alsbald einen Schlüssel zu jener manischen Verausgabung in Händen halten, in der sich der Sammler verliert, um sich unter den versammelten Dingen zurückzugewinnen.«

was on the recommendation of an artist in his collection that in 2013 Ralf Leinemann visited an exhibition in the Czech Centre in Berlin showing works by Prague-based artist Vladimír Houdek (born 1984). Impressed by the presentation, he immediately purchased a few pictures which, in spite of their reduced color spectrum of black and white enhanced with graduated gray tones, have an enormous aesthetic presence. It was in fact a spontaneous acquisition of art that was by no means planned before the visit to the exhibition.

Houdek's painting stands out for a geometric vocabulary of form. Geometry represents the design foundation for architecture, so the artists who work in this field can, in the broadest sense, fit into the architecture-based collection concept of Eva and Ralf Leinemann. Alongside the classic basic geometrical forms such as circle, triangle and quadrangle, Houdek's works also include ellipses and diamonds, as well as fans, fanfolds, loops, membranes and screws. The reduction of color to a minimal spectrum tells us clearly where the artist's focus lies: on the isolation of a form or a formal structure. Houdek paints over his surfaces several times, indeed up to twenty times, masking off individual sections for new composition elements only to then sometimes paint or paste over them again in a corrective. All these occurrences in the creative process give his works their arbitrary aesthetic, just as Ralf Leinemann has experienced it since his first encounter. The subsequent intensified examination of his creative résumé led to a fascination that was confirmed by subsequent purchases of works by the artist. And ultimately, what developed was a passion that prompted collectors Eva and Ralf Leinemann to become Vladimír Houdek's mentors, supporting his first exhibition tour (Lübeck, Goslar, Erlangen, Prague) with an accompanying publication made possible through their Hamburg-based Foundation.

It is not easy to describe in a few brief words a fascination for contemporary art such as that demonstrated by Eva and Ralf Leinemann, since it has so many facets. Art theorist Heinrich Heil managed it well enough in general terms: "Anyone who solves the mystery of curiosity will immediately hold the key to that manic overspending in which the collector loses himself in order to recover himself amongst the things collected."

Vladimír Houdek
Ohne Titel [*Untitled*], 2015
Acryl, Tinte, Bleistift auf Papier
[Acrylic, ink, pencil on paper]
32 × 24 cm

Ohne Titel [*Untitled*], 2015
Acryl, Tinte, Bleistift auf Papier
[Acrylic, ink, pencil on paper]
32 × 24 cm

Michal Pustejovsky
Object 8 × 8, 2008
Sperrholz, Beton, LED
[Plywood, concrete, LED]
43,5 × 43,5 × 100,5 cm

Umland
surroundings

Markus Huemer
Ich hätte dir auch ein Bild
gegen soziale Verwahrlosung
malen können, 2008
Öl auf Leinwand [Oil on canvas]
60 × 80 cm

Markus Huemer
*Ich hätte dir auch ein
wesentlich sinnlicheres Bild
malen können*, 2009
Öl auf Leinwand [Oil on canvas]
280 × 210 cm

Markus Huemer
*Ich hätte malerisch Tag für Tag
trotzig, aber dafür um so
entschiedener nachlegen sollen*, 2010
Öl auf Leinwand [Oil on canvas]
30 × 40 cm

Markus Huemer
*Ich hätte dir auch ein
Bild gegen sozialen Unmut
malen können*, 2005
Öl auf Leinwand [Oil on canvas]
240 × 180 cm

Peter Krauskopf
Nr. 87/05, 2005
Alkydharz auf MDF
[Alkyd resin on MDF]
115 × 160 cm

Peter Krauskopf
Nr. 29/05, 2005
Acryl auf Leinwand
[Acrylic on canvas]
80 × 90 cm

Peter Krauskopf
Nr. 30/06, 2006
Öl auf Leinwand
[Oil on canvas]
190 × 300 cm

Peter Krauskopf
Nr. 2/04/2, 2004
Alkydharz auf Leinen
[Alkyd resin on linen]
60 × 207 cm

Markus Lüpertz
Ährenlandschaft (Diptychon), 1969
Farbkreide, Aquarell,
Grafit auf Leinwand
[Colored chalk, watercolor,
graphite on canvas]
je [each] 21,7 × 66,1 cm

Maki Na Kamura
fGf XLI, 2011
Öl, Wasser auf Leinwand
[Oil, water on canvas]
80 × 120 cm

Olafur Eliasson
3D fivefold symmetry, 2001
Teakholz [Teak wood]
Ø 102 cm

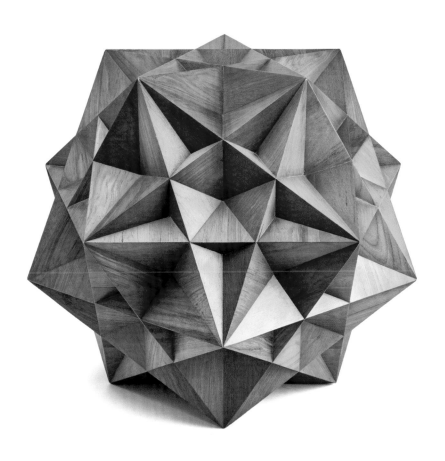

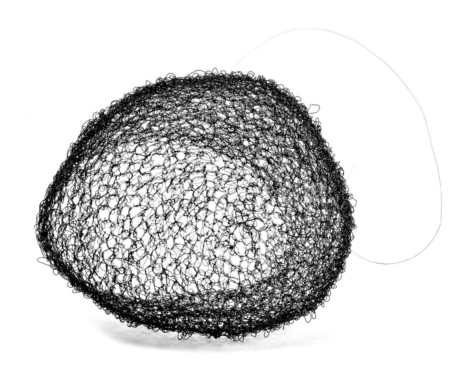

Brigitte Schwacke
Hirayama Family 2, 2003
Draht, legiert
[Wire, thickened]
92 × 84 × 78 cm

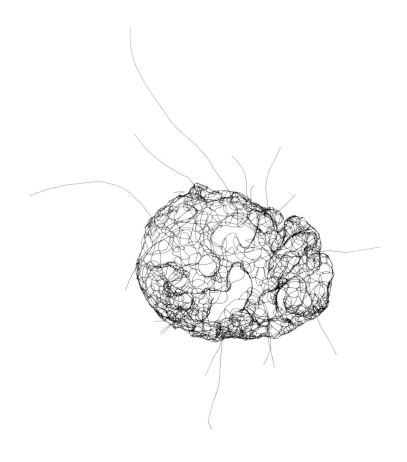

Brigitte Schwacke
Zeitraum II, 2006
Draht, legiert
[Wire, thickened]
12 × 12 × 11,5 cm

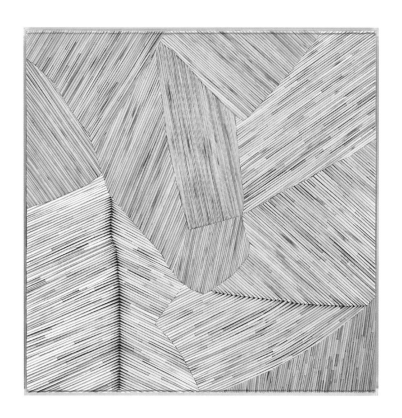

Olaf Holzapfel
*Expressionistische
Landschaft*, 2013
Stroh auf Sperrholz,
in Acrylglas gerahmt
[Straw on plywood,
framed in acrylic glass]
68 × 68 cm

Olaf Holzapfel
Travelling Ego IV, 2007
Acrylglas, Weich-PVC
[Acrylic glass, soft PVC]
34 × 93 × 78 cm

Neo Rauch
September, 2001
Öl auf Leinwand
[Oil on canvas]
120 × 210 cm

Peter Krauskopf
Elbe (B 020413), 2013
Öl auf Leinwand
[Oil on canvas]
56 × 50 cm

Künstler-index
index of artists

die Leinemann-
Stiftung für
Bildung und Kunst
the Leinemann
Foundation for
Education and Art

die Leinemann-Stiftung für Bildung und Kunst

Die 2008 in Hamburg von Eva und Ralf Leinemann gegründete Leinemann-Stiftung für Bildung und Kunst ist eine gemeinnützige Stiftung des
privaten Rechts. Sie hat als Stiftungszweck die Förderung von Kunst und
Kultur, dabei insbesondere die bildenden Künste sowie den Erhalt historischer Bücher, Büchersammlungen und Bibliotheken. Zum Vermögensstock
der Stiftung gehören zahlreiche Gemälde und Skulpturen zeitgenössischer
Künstler, daneben aber auch ein großer historischer Bücherbestand aus den
Jahren 1820–1955, der wesentlicher Teil des Archivs des ehemaligen Carl
Heymanns Verlags in Köln war und der Stiftung zugewendet wurde.

Seit ihrer Gründung fördert die Stiftung jährliche Wettbewerbe in Zusam-
menarbeit mit Kunsthochschulen und deren Fördervereinen, durch die
jungen Nachwuchskünstlerinnen und -künstlern eine Plattform gegeben
wird. Jeder Wettbewerb wird durch einen aufwendig gestalteten Katalog
dokumentiert. Daneben unterstützt die Stiftung fortlaufend einzelne Kunst-
ereignisse und/oder Künstler mit ausgewählten Projekten, beispielsweise
durch eine Ausstellungsförderung, Katalogfinanzierung oder sonstige
Zuwendungen. Im Rahmen des Jubiläums »150 Jahre Nationalgalerie« in
Berlin wurde 2011 ein wissenschaftliches Symposium gefördert. Der Stiftungsvorstand berät regelmäßig über beantragte Förderungen.

Die Förderung der Bildung als weiterer Stiftungszweck wird schwerpunkt-
mäßig in den Bereichen Baurecht, Vergaberecht und Bauingenieurswesen
umgesetzt. Die Stiftung unterstützt maßgeblich den Baurechtlichen Forschungspreis des Deutschen Baugerichtstags e.V., der alle zwei Jahre für
baubetriebliche und baurechtliche Dissertationen oder Master-Arbeiten
verliehen wird. Daneben unterstützt sie auch wissenschaftliche, baubetriebliche Forschungsprojekte, insbesondere an der Hochschule für Wirt-
schaft und Recht in Berlin, verleiht gemeinsam mit der Hochschule Bochum
den Transferpreis Bauingenieurwesen im Rahmen des Essener Baurechts-
und Baubetriebsforums und beteiligt sich seit Jahren an der Förderung des
Deutschland-Stipendiums der Bundesregierung.

Zur Finanzierung ihrer gemeinnützigen Aktivitäten greift die Stiftung auf
gezielte Einzelspenden ebenso zurück wie auf Erträge aus ihrem Vermögensstock, der eine namhafte Kapitalausstattung und breit gefächerte,
ertragbringende Anlagen aufweist.

Vorstandsmitglieder sind Dr. Eva-Dorothee Leinemann und Prof. Dr. Ralf
Leinemann, die hauptberuflich als Rechtsanwälte bei Leinemann Partner
Rechtsanwälte mbB tätig sind, einer der großen deutschen Anwaltskanzlei-
en mit Schwerpunkt im Bau-, Vergabe- und Immobilienrecht und mit Büros in Berlin, Düsseldorf, Frankfurt am Main, Hamburg, Köln und München.

the Leinemann Foundation for Education and Art

Founded 2008 in Hamburg by Eva and Ralf Leinemann, the Leinemann Foundation for Education and Art is a non-profit foundation established under German law. Its aim is to promote art and culture, in particular the fine arts and the preservation of historical books, book collections and libraries. The Foundation's assets include numerous paintings and sculptures by contemporary artists plus a considerable collection of historical books dating from the years 1822 to 1955, which made up the major part of the archives of the former Carl Heymanns Verlag in Cologne, and were donated to the Foundation.

Since its establishment the Foundation has promoted annual competitions in collaboration with art universities and the associations supporting them, providing a platform for young, talented artists. Every competition is documented by a lavishly designed catalog. Moreover, the Foundation assists with individual art events and artists with selected projects, for example by supporting an exhibition, financing a catalog, or providing other funding. In 2011, a scholarly symposium was promoted as part of the 150th anniversary of the Nationalgalerie in Berlin. The Foundation's Board of Directors regularly consults on the applications for support received.

In its support of education, the Foundation focuses primarily on the fields of construction law and regulations, public procurement law, and civil engineering. The Foundation generously supports the Baurechtlicher Forschungspreis bestowed by Deutscher Baugerichtstag e.V., which is awarded every two years for Master's theses or dissertations on construction law or construction practice. It also supports academic research projects on construction practices specifically at the Berlin School of Economics and Law, and awards the Civil Engineering Prize in conjunction with Bochum University in the framework of the Essener Baurechts- und Baubetriebsforum, and has for years helped finance the Federal Government's Deutschland-Stipendium student grant scheme.

To finance its own charitable activities the Foundation relies both on individual donations and on revenue generated by its assets, which include substantial capital resources and widely diversified, profitable investments.

Board members of the Leinemann Foundation for Education and Art are Dr. Eva-Dorothee Leinemann and Prof. Ralf Leinemann, who work as lawyers at Leinemann Partner Rechtsanwälte mbB, one of the large German law firms specializing in construction and real-estate law and the law of public procurement, which has offices in Berlin, Düsseldorf, Frankfurt, Hamburg, Cologne and Munich.

Blick in die Bibliothek von Leinemann Partner Rechtsanwälte in Berlin mit einem Teil des Bestands von historischen Büchern der Leinemann-Stiftung für Bildung und Kunst

View of the library at Leinemann Partner Rechtsanwälte in Berlin, with some of the historical books in the collection of the Leinemann Foundation for Education and Art

Danksagung [Acknowledgements]:
Ein herzlicher Dank gilt dem Team im Museum
Marta Herford für die Unterstützung bei der Arbeit
an dieser Publikation, besonders Friederike Fast,
Ann Kristin Kreisel und Daniela Sistermanns; Markus
Huemer für den intensiven Austausch über die
Sammlung und mögliche Ideen zu diesem Buch;
Daniel von Schacky für seine Unterstützung bei der
Beschaffung von Abbildungen der bei Grisebach
ersteigerten Kunstwerke. Darüber hinaus bedanken
wir uns sehr herzlich bei allen Künstlerinnen und
Künstlern, die mit der Genehmigung zur Reproduktion
ihrer Werke maßgeblich zum Gelingen dieses Buches
beigetragen haben.
[Special thanks go to the team at the Marta Herford
museum for their support with this publication, in
particular Friederike Fast, Ann Kristin Kreisel and
Daniela Sistermanns; to Markus Huemer for the intense
discussions on the collection and possible ideas for
this book; and to Daniel von Schacky for his support
with procuring illustrations of the artworks purchased at
Grisebach. Moreover we wish to sincerely thank all the
artists, who by authorizing the reproduction of their works
significantly contributed to the success of this book.]

Dieses Buch wurde maßgeblich finanziert durch
die Leinemann-Stiftung für Bildung und Kunst.
[This publication was funded by the Leinemann
Foundation for Education and Art.]

Kontakt [For further details]:
Leinemann-Stiftung für Bildung und Kunst
Ballindamm 7, 20095 Hamburg, Germany
www.leinemann-stiftung.de

Gestaltung [Layout]: büro für mitteilungen, Hamburg

Fotos [Photos]: Helmut Claus
sowie [and] Karen Bartsch, Berlin/Grisebach GmbH
(S. [p.] 043, 057, 074, 080, 098, 099, 103 r., 105, 123,
130–133, 139 o. l. [top left], 142, 155, 167); Jürgen Baumann
(011, 060, 064, 116, 120, 121, 148–152, 160, 172, 188–191);
Friedhelm Hofmann (054); Katja Lehmann (009, 180);
Miriam Leinemann (029); Roman März (051);
courtesy David Zwirner, New York/London (094);
courtesy Polansky Gallery, Prag [Prague] (185);
courtesy Yayoi Kusama (009)

Projektmanagement [Project Management]
Kerber Verlag: Kathleen Herfurth

Übersetzung, Englisches Lektorat
[Translations, English copyediting]: Jeremy Gaines

Lithografie [Lithographs]: Lorena Volkmer

Die Deutsche Nationalbibliothek verzeichnet
diese Publikation in der Deutschen Nationalbibliografie;detaillierte bibliografische Daten sind
im Internet über http://dnb.dnb.de abrufbar.
[The Deutsche Nationalbibliothek lists this
publication in the Deutsche Nationalbibliografie;
detailed bibliographic data are available on
the Internet at http://dnb.dnb.de.]

Gesamtherstellung und Vertrieb
[Printed and published by]: Kerber Verlag, Bielefeld
Windelsbleicher Str. 166–170, 33659 Bielefeld, Germany
T +49-521-95 00 810   F +49-521-95 00 888
info@kerberverlag.com

ARTBOOK | D.A.P.
75 Broad Street, Suite 630, New York, NY 10004, USA
T +1-212-62 71 999   F +1-212-62 79 484

Kerber-Publikationen werden weltweit in führenden
Buchhandlungen und Museumsshops angeboten
(Vertrieb in Europa, Asien, Nord- und Südamerika).
[Kerber publications are available in selected book-
stores and museum shops worldwide (distributed
in Europe, Asia, South and North America).]

ISBN 978-3-7356-0368-5
www.kerberverlag.com   Printed in Germany